VAGUE DE FROID

Catalogage avant publication de Bibliothèque et Archives nationales du Québec et Bibliothèque et Archives Canada

McClintock, Norah

> [Out of the cold. Français]

> Vague de froid

> Traduction de : Out of the cold.
> Pour les jeunes de 12 ans et plus.

> ISBN 978-2-89647-689-3

> I. Vivier, Claudine. II. Titre. III. Titre : Out of the cold. Français.

PS8575.C62O9214 2012   jC813'.54   C2012-941265-1
PS9575.C62O9214 2012

Nous remercions le gouvernement du Canada de son soutien financier pour nos activités de traduction dans le cadre du Programme national de traduction pour l'édition du livre.

Les Éditions Hurtubise bénéficient du soutien financier des institutions suivantes pour leurs activités d'édition :

– Conseil des Arts du Canada ;
– Gouvernement du Canada par l'entremise du Fonds du livre du Canada (FLC) ;
– Société de développement des entreprises culturelles du Québec (SODEC) ;
– Gouvernement du Québec par l'entremise du programme de crédit d'impôt pour l'édition de livres.

Conception graphique : René St-Amand
Mise en page : Martel en-tête
Photographies de la couverture : Ron Hilton, Shutterstock.com ; Boton d Horváth, Shutterstock.com ; Kuzma, iStockphoto.com

Titre original : *Out of the cold*
Copyright © 2007 de Norah McClintock
Édition originale publiée au Canada par Scholastic Canada Ltd
Copyright © 2012, Éditions Hurtubise inc. pour l'édition en langue française

ISBN : 978-2-89647-689-3 (version imprimée)
ISBN : 978-2-89647-690-9 (version numérique PDF)

Dépôt légal : 3ᵉ trimestre 2012
Bibliothèque et Archives nationales du Québec
Bibliothèque et Archives Canada

Diffusion-distribution au Canada :
Distribution HMH
1815, avenue De Lorimier
Montréal (Québec) H2K 3W6
www.distributionhmh.com

Diffusion-distribution en Europe :
Librairie du Québec/DNM
30, rue Gay-Lussac
75005 Paris FRANCE
www.librairieduquebec.fr

Imprimé au Canada
www.editionshurtubise.com

NORAH McCLINTOCK
VAGUE DE FROID

Traduit de l'anglais par Claudine Vivier

Hurtubise

Du même auteur

Trafic, Montréal, Hurtubise, 2012.

En cavale, Montréal, Hurtubise, 2011.

Dernière chance, Montréal, Hurtubise, 2010.

Double meurtre, Montréal, Hurtubise, 2008.

Mensonges et vérité, Montréal, Hurtubise, 2008.

Délit de fuite, Montréal, Hurtubise, 2007.

Pas l'ombre d'une trace, Montréal, Hurtubise, 2006.

À couteaux tirés, Montréal, Hurtubise, 2004.

Crime à Haverstock, Montréal, Hurtubise, 2000.

Cadavre au sous-sol, Montréal, Hurtubise, 1999.

Fausse identité, Montréal, Hurtubise, 1998.

À monsieur Jones

1

Il règne dans le loft de mon père un silence de mort et il y fait noir comme dans une tombe – seule une vague lueur éclaire le bureau. Je m'en approche.

L'ordinateur posé à droite de la table de travail est allumé. Sur l'écran, me fait face un portrait pas tout à fait fidèle de Ted Gold, l'homme que fréquente ma mère depuis un peu plus d'un an. Mes parents ont divorcé. Malgré tous les efforts que déploie ma mère pour protéger sa vie privée – elle estime que depuis le divorce, ses affaires ne regardent plus mon père –, ce dernier est parfaitement au courant de l'existence de Ted. Il l'a même rencontré à une ou deux reprises – et ce n'était pas à l'initiative de ma mère. Je contemple le visage qui ressemble à celui de Ted en me demandant ce que peut bien manigancer mon père. Comme je le connais, il s'agit probablement de quelque chose qui risque de ne pas plaire à ma mère.

Bong! Je sursaute violemment. À l'autre bout de l'immense loft où mon père a choisi d'habiter, un objet a heurté le plancher.

— Papa ?

Le cœur affolé, je risque un coup d'œil à l'extérieur du bureau et aperçois quelqu'un – une femme que je n'ai jamais vue – qui se relève, un gros bouquin relié entre les mains. Vêtue d'un peignoir, une serviette nouée autour de la tête, elle ne paraît guère surprise de me voir. Je ne peux pas en dire autant.

— Tu dois être Robyn, me dit-elle en souriant. Mac espérait être rentré pour t'accueillir, mais il a appelé pour prévenir qu'il serait en retard.

Je reconnais bien là mon père. Ce retardataire professionnel n'a jamais pu arriver à l'heure, quelle que soit l'occasion, depuis les concerts de l'école jusqu'aux fêtes d'anniversaire, ce qui explique entre autres choses pourquoi ma mère et lui sont séparés.

— Il m'a chargée de te dire qu'il rentrera vers neuf heures, ajoute l'inconnue.

Elle jette un coup d'œil à la pendule posée sur la cheminée.

— Ho, ho ! Il faut que je bouge, sans quoi c'est moi qui vais être en retard.

Elle disparaît dans la pièce censée être ma chambre qui, je le sais, sert également de chambre d'amis en mon absence.

— Ravie d'avoir fait ta connaissance, ajoute-t-elle en refermant la porte derrière elle.

Comment ça, fait connaissance ? Je n'ai toujours pas la moindre idée de qui elle est. Elle ne m'a même pas dit son nom.

D'accord. Comme ça, une femme que je n'ai jamais vue (une femme terriblement jeune, si vous voulez mon avis, étant donné que mon père a déjà bien entamé la quarantaine) vient de prendre une douche ou peut-être un bain dans la salle de bain paternelle et s'habille à présent dans ma chambre – du moins à temps partiel. Qu'est-ce qu'une fille – moi en l'occurrence – est censée faire dans une situation aussi embarrassante (pour moi, tout au moins) ?

Je décide de décamper.

Je laisse ma valise à côté de la porte d'entrée, là où je l'avais posée en arrivant, et redescends l'escalier à la recherche de Nick.

Je viens de passer sept jours sans le voir et avant mon départ, lui et moi n'avons pu nous rencontrer en tête à tête pendant plusieurs semaines. Ma mère a beau prétendre qu'elle n'a personnellement rien contre Nick, cela ne signifie pas pour autant qu'elle le considère comme le petit ami rêvé pour sa fille. Pour commencer, Nick a eu quelques ennuis, notamment des démêlés avec la justice. Il n'a pas non plus ce que ma mère appellerait une vie de famille. Loin de là. Ses deux parents sont décédés. Son beau-père et son demi-frère purgent tous les deux une peine de prison. Nick devait aller vivre chez sa tante, mais ce projet est tombé à l'eau parce qu'il ne s'entend pas avec le nouveau compagnon de sa tante. Si bien que depuis deux mois, il loue un appartement dans l'immeuble que possède mon père, une ancienne manufacture de tapis. Mon père habite à l'étage supérieur. Le rez-de-chaussée est occupé par un restaurant gastronomique appelé La Folie. Le premier étage est divisé en six logements. Nick en loue un, chose que ma mère n'a jamais aimée.

Elle a encore moins apprécié ce qui s'est passé le mois dernier, avant mon voyage scolaire d'une semaine.

«Tu as failli te faire tuer, a-t-elle dit. Et c'était entièrement la faute de Nick.»

À vrai dire, ce n'était pas entièrement la faute de Nick, mais ça ne sert à rien de discuter avec elle. Et personne ne m'a tuée. Tout s'est très bien terminé, ce qui n'a pas empêché ma mère de piquer toute une crise. Elle m'a interdit de revoir Nick. Elle a ordonné à mon père de l'expulser de son logement et a très mal pris qu'il refuse de le faire.

«Parfait, a-t-elle déclaré. Si c'est comme ça, Robyn ne remettra plus les pieds dans cet immeuble tant que ce garçon y habitera.» J'ai tenté de la raisonner à en avoir une extinction de voix. C'est Ted qui, finalement, a réussi à négocier un compromis – à savoir un mois d'accès extrêmement limité à Nick qui s'est réparti comme suit : interdiction formelle de le voir ou même de lui parler pendant toute une semaine. Les deux semaines suivantes, je n'ai eu le droit de le voir qu'en présence de ma mère ou de Ted. La première rencontre chaperonnée a mis Nick si mal à l'aise que nous nous sommes par la suite contentés de nous parler au téléphone. Qui pourrait blâmer Nick? Ma mère l'avait autorisé à venir à la maison regarder un film, mais avait passé la soirée dans un coin du salon en faisant semblant de lire, sans nous quitter des yeux une seconde. J'avais espéré que mon père nous facilite un peu les choses. Il n'en a rien fait. À part refuser d'expulser Nick, il s'est rangé à l'avis de ma mère. Il n'a pas voulu faire de vagues. «Ta mère a toutes les raisons d'être fâchée», a-t-il déclaré.

La dernière semaine, je l'ai passée à l'extérieur de la ville. Ma mère a paru soulagée quand elle m'a accompagnée à l'autobus.

Mais à partir d'aujourd'hui, ma punition est levée. Je suis libre de voir Nick quand ça me chante et sans chaperon, et j'ai terriblement hâte de le retrouver. J'ai bien tenté de le rejoindre au téléphone à deux reprises durant mon voyage, mais il n'a jamais décroché. Il devait probablement travailler. Nick est très pris par son emploi à temps partiel, et il étudie. Entre son travail et l'école, il ne lui reste guère de temps libre.

Le cœur battant, je frappe à sa porte.

Pas de réponse.

Je frappe encore.

Toujours pas de réponse. Il n'est pas chez lui.

J'entends des pas dans la cage d'escalier. Nick ? Non. Plutôt que de monter du rez-de-chaussée, ils descendent du second étage. Ce doit être la mystérieuse femme que j'ai croisée chez mon père. J'attends sur le palier du premier, et lorsque j'entends la porte d'entrée de l'immeuble s'ouvrir et se refermer en claquant, je descends à mon tour. J'entre à La Folie. Nick a décroché un emploi au restaurant (grâce à mon père), après avoir soi-disant failli me faire tuer et s'être lui-même fracturé la cheville. Il doit être dans la cuisine à l'heure qu'il est, juché sur un tabouret, en train de vider des assiettes pour ensuite les placer dans le lave-vaisselle format industriel.

Il n'y est pas.

Je m'approche de Lauren, l'hôtesse qui accueille les clients.

— Nick ne travaille pas aujourd'hui ?

Elle me regarde d'un drôle d'air.

— Non, il ne travaille pas.

Je jurerais qu'elle s'apprête à ajouter quelque chose, mais au même instant arrive un groupe de six personnes à qui elle doit attribuer une table.

— Excuse-moi, Robyn, fait-elle avant de s'éloigner en hâte.

Si Nick n'est ni chez lui ni au travail, c'est qu'il doit être en visite chez sa tante. À moins qu'il soit tout bonnement sorti. Je regagne l'appartement de mon père et traîne ma valise jusqu'à ma chambre. Je dois dire une chose à la décharge de l'inconnue : c'est une maniaque de l'ordre. La chambre est exactement dans l'état où je l'avais laissée. Jamais on ne devinerait qu'elle y a séjourné. Je me dirige vers la cuisine pour me préparer une tasse de thé lorsque j'entends la porte d'entrée s'ouvrir. Mon père. Son visage s'illumine sitôt qu'il me voit.

— Robbie ! Et alors, ce voyage ? T'es-tu bien amusée ?

Je viens de passer une semaine de « randonnée culturelle », comme l'a baptisée l'administration de mon école, même si cette sortie n'avait rien d'une excursion en plein air. Nous avons fait un voyage essentiellement urbain – trois jours de conférences et d'initiation pratique dans les coulisses d'un musée, deux journées de visite touristique à caractère éducatif et une soirée au théâtre. Ma meilleure amie, Morgan, était de la partie et nous partagions la même chambre, ce qui veut dire :

— Oui, papa, je me suis bien amusée.

Mon père, le sourire encore aux lèvres, jette un coup d'œil autour de lui.

— Où est ?…

— Elle m'a dit qu'elle devait filer. Qui est-ce, papa ?

— Tara ?

Elle s'appelle donc Tara.

— As-tu faim ? me demande-t-il en accrochant son manteau. Parce que moi, j'ai l'estomac dans les talons.

— Je n'ai besoin de rien, papa.

Je lui emboîte le pas jusqu'à la cuisine et m'assois devant le plan de travail pendant qu'il fouille dans le réfrigérateur.

— Qui est-ce, exactement ?

Je le vois sortir un bloc de fromage – du cheddar extrafort, il me semble – un bout de jambon, un pot de moutarde, une tomate, la moitié d'un pain noir – du pain de seigle – et un contenant de salade de chou. Il finit par refermer le réfrigérateur.

— Désolé, tu disais quelque chose, Robbie ?

— Tara, qui est-ce ?

— Une très vieille amie, répond-il en souriant.

Je devine à l'éclat malicieux dans ses yeux qu'il me cache quelque chose.

— Elle n'a pas l'air si vieille que ça. Elle fait plutôt jeune, au contraire.

— Ah oui ?

Il sort un couteau du tiroir et entreprend de trancher la tomate, puis le jambon.

— À mon avis, elle a tout à fait l'âge qu'il faut, ajoute-t-il.

Il rince la lame du couteau avant de trancher le fromage.

— Tu n'as pas faim, tu es sûre ?

— Sûre et certaine. Depuis combien de temps la connais-tu, papa ?

— Depuis suffisamment longtemps, je dirais.

Il sort un autre couteau et s'en sert pour tartiner les tranches de pain d'une fine couche de moutarde.

— As-tu prévenu ta mère que tu étais rentrée ?

— Je l'ai appelée avant de descendre de l'autobus.

Ce qui me fait penser à quelque chose.

— Serais-tu par hasard en train de fourrer ton nez dans les affaires de Ted, papa ?

Ma question semble le laisser perplexe. À moins qu'il fasse semblant. Avec mon père, c'est parfois difficile de le deviner.

— De quoi parles-tu ?

— J'ai vu une photo de lui sur ton écran d'ordinateur. Es-tu en train d'enquêter sur lui, papa ?

La chose ne me surprendrait pas de sa part. Pour une raison qui me dépasse, surtout quand on sait dans quel climat acrimonieux se sont déroulés la séparation et le divorce, mon père semble toujours très épris de ma mère. Cela lui ressemblerait bien d'aller déterrer des choses pas nettes sur Ted, qu'il se ferait un plaisir de communiquer à ma mère. Eh bien, bonne chance ! Ted est un homme charmant et accompli, extrêmement gentil. S'il a des secrets, il s'agit probablement de dons anonymes à des bonnes causes et non de magouilles scandaleuses ou d'erreurs de jeunesse.

— Enquêter sur lui ? Pourquoi ferais-je une chose pareille, Robbie ?

Occupé à étaler ses tranches de jambon, de fromage et de tomate sur le pain, il s'interrompt soudain pour me regarder dans le blanc des yeux. L'image même de l'innocence. Mais la vérité, c'est que mon père est un as du mensonge. Il est le premier à admettre que c'est souvent nécessaire dans son métier. Il a été policier pendant près de vingt ans et gère aujourd'hui sa propre agence de sécurité et d'enquêtes. Il dit que parfois, quand on veut tirer les vers du nez à un menteur, il faut soi-même savoir mentir. Ma mère voit les choses autrement. Elle affirme que mentir est pour mon père aussi naturel que l'est le fait de respirer pour le reste de l'humanité.

— J'ai promis à ta mère de ne jamais fouiner dans ses affaires. Et je tiens toujours parole.

Hum… Je le dévisage un long moment, cherchant à deviner s'il s'attend vraiment à ce que je le croie.

— Robyn, à propos de Nick…, ajoute-t-il.

— J'allais justement te demander de ses nouvelles. Je l'ai cherché partout, mais je ne l'ai pas trouvé chez

lui ni au travail. J'étais pourtant sûre qu'il y serait.
L'as-tu vu, toi ?

— Tu es descendue au rez-de-chaussée ?

— Ouais, mais il n'était pas là.

— As-tu parlé à Fred ?

Il s'agit de Fred Smith, le patron de La Folie.

— Non, mais j'ai parlé à Lauren.

— Qu'a-t-elle dit ?

— Que Nick ne travaillait pas aujourd'hui.

Eh, attends un peu !

— Dis donc, papa, tu viens bien de m'appeler Robyn ?

La dernière fois que mon père m'a appelée par mon
prénom et non par son diminutif, c'est lorsqu'il m'a
annoncé le divorce.

— Qu'est-ce qui se passe ? Est-il arrivé quelque
chose à Nick ?

Mon père pose la seconde tranche de pain sur son
sandwich.

— J'aimerais bien le savoir, répond-il.

Il coupe en deux le sandwich qu'il vient déposer sur
l'îlot à côté du pot de salade de chou, pour s'asseoir en
face de moi.

— Je ne l'ai pas vu depuis ton départ pour ton
voyage scolaire.

— Comment ça, tu ne l'as pas vu ? Tu veux dire
qu'il n'était pas chez lui ?

Mon père pose une main sur mon épaule. Ho, ho !

— Papa, où est Nick ?

— Je l'ignore.

— Comment ça, tu l'ignores ?

— Il est parti, Robbie. Je ne sais pas où. Je ne sais pas pourquoi. Je ne sais même pas à quel moment il a déguerpi. Tout ce que je sais, c'est qu'il n'est plus là.

— Plus là ? demande Morgan à l'école le lendemain.

— Je veux dire qu'il est parti. Qu'il est ailleurs.

— Où ça, ailleurs ?

C'est la question à un million de dollars. Je raconte à Morgan tout ce que je sais, ce qui se résume à pas grand-chose. Deux jours avant notre retour, mon père est allé dîner à La Folie. Après son repas, il est entré dans la cuisine pour saluer Nick. Celui-ci était absent. Mon père est allé s'informer auprès de Fred Smith, qui lui a annoncé que Nick ne travaillait plus à son service.

— Il a été congédié ? demande Morgan.

— C'est Nick qui a remis sa démission.

Fred a dit à mon père que Nick s'était montré très correct. Il a remercié Fred de lui avoir donné du travail et lui a présenté ses excuses parce qu'il partait sans préavis.

— Il n'a pas dit pourquoi il s'en allait ? demande Morgan.

Je la regarde d'un air lugubre.

— Il a dit qu'il devait quitter la ville.

— Pour quelle raison ? Et pour combien de temps ?

— Fred ne lui a pas demandé et Nick n'en a rien dit.

— Et ton père ? Nick ne lui a rien dit, à lui ?

Je secoue la tête.

— Mon père est allé inspecter le logement après son entretien avec Fred. Il ne reste presque rien de ses affaires.

Il a laissé ses meubles, dont la plupart lui avaient été donnés par mon père, et les quelques ustensiles de cuisine qu'il possède – des assiettes, deux casseroles, des couverts, tous achetés dans des magasins d'articles d'occasion – mais il a emporté ses vêtements et ses effets personnels.

— Ça me dépasse, dit Morgan. Pourquoi ne t'a-t-il pas appelée pour te dire où il allait ?

Je me suis posé la même question une centaine de fois.

— Il ne t'a même pas laissé un mot ?

— S'il l'a fait, il l'a écrit à l'encre invisible sur du papier invisible.

— Crois-tu qu'il se soit encore mis dans le pétrin ?

Je ne peux que hausser les épaules. Puis je confie à Morgan l'idée qui m'a taraudée toute la nuit.

— Morgan, et s'il était parti parce que rien ne le retenait ici ?

— Que veux-tu dire ?

— Il ne s'entend pas avec sa tante. Joey est en prison.

Joey est le demi-frère de Nick.

— Angie et le bébé ne vivent plus ici.

Angie était la compagne de Joey. Elle a récemment donné naissance à un petit garçon.

— Et il n'avait pas le droit de me voir sans la présence de ma mère ou de Ted. Ça ne lui plaisait pas. Et il connaît les sentiments de ma mère à son endroit. Peut-être en a-t-il eu assez ?

Nick a souvent eu du mal à dominer sa colère par le passé. Je suis sûre qu'il n'a pas apprécié le traitement que lui a réservé ma mère. Peut-être a-t-il conclu que ça ne valait pas la peine de supporter tout ça uniquement pour être avec moi. À moins que… cette idée me hérisse, mais la chose est possible… à moins qu'il ait rencontré quelqu'un d'autre.

— Il sait que tu étais partie, dit Morgan. Il sait à quelle date tu devais rentrer. S'il tient à toi, Robyn, il va t'appeler.

S'il tient tant à moi, pourquoi ne m'a-t-il pas prévenue de son départ ? Pourquoi ne m'a-t-il pas encore appelée ?

Je demande à mon père la clef du logement de Nick et descends inspecter les lieux en rentrant de l'école. Si on fait abstraction de la poussière accumulée depuis son départ, l'appartement est impeccable. Je cherche un mot qu'il m'aurait laissé, sans rien trouver. Je regarde même sous les meubles – au cas où le bout de papier aurait glissé sous la commode ou une table. Rien. Aucun signe de Nick.

J'appelle sa tante, Beverly, pour lui demander si elle sait où il est.

— Pourquoi? me répond-elle. Il a encore fait des bêtises, c'est ça? Ne me dis pas qu'il s'est déjà fait congédier par son nouveau patron!

De toute évidence, Nick ne l'a pas prévenue de son départ, elle non plus. Je lui explique que je me suis absentée une semaine et que j'essaie de le localiser. Je n'ai pas le cœur à lui dire autre chose.

Je me rends au foyer de groupe où il résidait à l'époque où j'ai fait sa connaissance. Un foyer pour jeunes contrevenants placés sous garde en milieu ouvert – un établissement sans verrous ni barreaux, mais qui soumet ses pensionnaires à une discipline stricte, les oblige à de nombreuses corvées et leur impose des programmes spéciaux comme l'acquisition de compétences pour la vie en société et la gestion de la colère. Nick s'y était fait au moins un ami, un garçon prénommé Antoine que j'avais rencontré l'été dernier. Peut-être saura-t-il où a pu passer Nick.

— Désolée, me dit la femme qui m'ouvre la porte. Antoine ne réside plus ici.

— Savez-vous où je pourrais le trouver?

— Je ne suis pas autorisée à divulguer ce renseignement, malheureusement.

À en juger par sa mine lugubre, je devine que peu importe où il se trouve, Antoine n'est pas libre de ses mouvements. Sinon, elle me l'aurait dit.

Pendant les deux jours qui suivent, je sursaute chaque fois que sonne mon cellulaire ou le téléphone fixe.

Lorsque ma mère finit par me dire : « Calme-toi, Robyn, pour l'amour du ciel », je fonds en larmes.

Je fonds en larmes. Elle me regarde avec compassion. Elle me dit qu'elle est navrée que Nick se soit volatilisé sans prévenir, qu'elle comprend ce que je peux ressentir. Elle cherche à se montrer gentille, mais je ne peux pas m'empêcher de penser qu'elle est soulagée de le savoir sorti de ma vie. Puis elle prononce les dernières paroles que j'ai envie d'entendre :

— C'est peut-être mieux comme ça.

— Je ne comprends toujours pas, dis-je à Morgan. J'aurais peut-être dû agir autrement, non ? J'aurais dû sortir en douce pour aller le retrouver.

Ma mère m'aurait privée de sortie à perpétuité si elle avait appris que j'avais fait une chose pareille.

— Ce n'était qu'une affaire de quelques semaines, Robyn, répond Morgan. Pas vraiment la fin du monde. Et tu m'as dit que vous vous parliez au téléphone pratiquement tous les jours avant ton départ.

J'ai pensé qu'en faisant ce que voulait ma mère – qu'en lui obéissant tous les deux, Nick et moi – je la ferais changer d'avis à son sujet. Qu'elle allait se calmer. Je me suis plus souciée de l'opinion de ma mère que de ce que Nick pouvait ressentir.

Je ne veux pas me remettre à pleurer, surtout pas dans la cafétéria devant tous les élèves de l'école. Mais chaque fois que je pense à Nick, les larmes me montent aux yeux et je recommence à souffrir. Pourquoi est-il parti? Pourquoi ne m'a-t-il pas dit où il allait? Pourquoi ne m'a-t-il même pas laissé un mot?

— Et s'il lui était arrivé quelque chose? Et s'il avait rencontré quelqu'un d'autre? Et si…

Morgan sort de son sac un paquet de mouchoirs qu'elle pousse vers moi.

— J'aime bien Nick, me dit-elle. Tu le sais.

À vrai dire, je l'ignorais. Je sais qu'elle le trouve beau garçon, à juste titre – il est grand et mince, avec des cheveux noirs de jais et des yeux bleu violet. Je sais qu'elle le trouve sexy et vaguement dangereux, à cause de son passé houleux et de la fine cicatrice qui lui barre la joue en diagonale, depuis l'arête du nez jusqu'au lobe de l'oreille droite, et qui lui donne l'air d'un gars qui ne répugne pas à la bagarre. Et c'est vrai. Il n'a pas froid aux yeux. Je sais aussi qu'elle respecte le fait que j'aime Nick, que je l'aime énormément. Mais j'ignorais qu'elle l'aimait bien.

— Mais, ajoute-t-elle – le fameux «mais» que j'attendais – tu ne le fréquentes pas depuis longtemps, ce qui veut dire qu'il se peut que tu ne le connaisses pas aussi bien que tu le penses.

— Où veux-tu en venir, Morgan?

— Il peut y avoir une douzaine de raisons à son départ et au fait qu'il ne t'ait pas prévenue. Tant qu'il ne reprend pas contact avec toi, tu ne peux rien faire. Il ne te reste qu'à attendre.

— Combien de temps?

— Je n'en sais rien.

Elle presse ma main dans la sienne.

— Ce que je sais, par exemple, c'est que quoi qu'il arrive, tu n'as rien à te reprocher. Tu n'as rien fait de mal. S'il n'était pas prêt à t'attendre, c'est son problème, pas le tien. Et dans le pire des scénarios, tu ne vas quand même pas continuer à le pleurer indéfiniment. Et ne me regarde pas comme ça, Robyn. Tu sais très bien ce que je veux dire. Cela fait près d'une semaine que nous sommes rentrées et deux semaines qu'il a déguerpi…

— Salut tout le monde ! lance avec chaleur une voix masculine.

Je lève les yeux. C'est Billy Royal, mon meilleur ami lui aussi et, depuis quelque temps, l'amoureux de Morgan. Il glisse un bras autour des épaules de Morgan et pose un baiser sur sa joue avant de se laisser choir sur la chaise libre à côté d'elle.

— Quoi de neuf ?

— Robyn est encore en train de se flageller parce que Nick a disparu, répond Morgan comme si j'étais en faute.

Billy m'adresse un sourire de sympathie.

— Toujours pas de nouvelles, hein ?

Je secoue la tête.

— Elle aurait besoin de se le sortir de la tête, déclare Morgan.

— Je ne veux pas me le sortir de la tête ! Je veux savoir où il est et pourquoi il est parti.

— Tout ce que je dis, c'est qu'il faut que tu cesses de penser à lui jour et nuit. Ça va te rendre folle. Il faudrait que tu t'occupes l'esprit à autre chose.

— Pourquoi ne viendrais-tu pas au refuge avec Morgan et moi ? demande Billy. Ils ont toujours besoin d'un coup de main.

Billy fait du bénévolat dans un accueil de jour pour sans-abri. Il milite aussi dans une association de défense des droits des animaux et à la Société protectrice des animaux. Il est aussi un des fondateurs, et le membre le plus actif du SAC, le club de Sauvetage aviaire du centre-ville, qui soigne les oiseaux migrateurs blessés. Il va sans dire qu'il est végétalien.

— Je ne sais pas, dis-je.

J'admire Billy, mais compte tenu de mon humeur actuelle, je risque plutôt de démoraliser les itinérants.

— Sérieusement, Robyn, tu devrais essayer, dit Billy. Le meilleur moyen que je connaisse pour se sentir mieux dans sa peau, c'est d'aider les autres. Pas vrai, Morgan ?

Morgan opine du chef.

— Quoique, honnêtement, je me sente pour ma part parfaitement bien dans la mienne, précise-t-elle.

Je n'en doute pas. Morgan n'est guère encline à douter d'elle-même, à s'apitoyer sur son sort ou à se détester, et encore moins à reconnaître ses torts. La personne qui aime le plus Morgan est Morgan elle-même. Billy est son admirateur numéro deux.

— Nous y allons demain, hein Morgan ? dit Billy. Et je sais qu'ils cherchent d'autres bénévoles. Plus il fait froid et plus il y a du monde au centre.

L'hiver est arrivé et les nuits, déjà longues, ne cessent de s'étirer. Il fait noir à cinq heures de l'après-midi.

— Ils ont besoin de toute l'aide possible pour préparer la soupe et les sandwichs, offrir du café, faire le ménage après les repas, trier et distribuer les vêtements chauds et les sacs de couchage offerts par les donateurs, des trucs comme ça. Ça va te remonter le moral. Et tu vas rencontrer un tas de gens intéressants. Qui sait? Tu n'imagines pas ce qui se fait là-bas. Allez, Robyn... Dis oui.

J'ai bien envie de dire non. Je n'ai le goût à rien. Mais Billy se montre très convaincant et à l'entendre, on m'accueillera à bras ouverts. Si bien que j'accepte.

Billy me sourit, l'air ravi.

— C'est l'endroit idéal pour faire du bénévolat, Robyn. Tu ne le regretteras pas.

Vu le tour que vont prendre les choses, il se trompe. Il ne me faudra pas attendre longtemps pour regretter d'avoir accepté.

2

Selon le plan original, je devais retrouver Morgan et Billy au refuge, où Billy était censé me présenter au directeur. Celui-ci allait ensuite m'assigner mes tâches.

Changement de programme : je suis en train d'attendre mon bus quand Morgan m'appelle sur mon cellulaire pour m'annoncer qu'elle ne pourra pas venir parce qu'elle s'est réveillée avec un mal de gorge terrible. Elle ajoute que les bénévoles souffrant du moindre bobo ne sont pas bienvenus au centre parce que l'état de santé des sans-abri qui le fréquentent est souvent précaire. Certains ont le système immunitaire plutôt amoché. Mais, ajoute-t-elle, Billy est en route, ravi de ma décision et impatient de me faire visiter les lieux.

Voici comment les choses se déroulent : je descends à l'arrêt que Billy m'a indiqué. Je pourrais prendre un autre autobus, mais j'aurais dix minutes à attendre. Je perdrai moins de temps en me rendant à pied au centre, et marcher va peut-être m'empêcher de geler. Les premiers magasins, immeubles et restaurants devant lesquels je passe font encore partie du centre-ville, mais j'y croise déjà des miséreux. Je n'ai pas dépassé un pâté de maisons qu'un jeune homme crasseux assis devant la porte d'un magasin à louer me demande de l'argent. À demi enveloppé dans un vieux sac de couchage déchiré, il garde les yeux baissés tandis que je laisse tomber un dollar et quelques pièces de vingt-cinq cents dans la tasse de plastique posée devant lui sur le trottoir. Un coin de rue plus loin, je croise un unijambiste adossé contre un poteau de téléphone. Un contenant de margarine à la main, il marmonne inlassablement «un peu de monnaie, un peu de monnaie, un peu de monnaie s'il vous plaît». Je hausse les épaules, désolée. J'ai donné toute ma petite monnaie au jeune qui quêtait dans l'entrée du magasin.

Un pâté plus loin, devant un édifice à bureaux, un vieil homme injurie un passant élégamment vêtu qui fouille dans sa poche pour en extraire son portefeuille. Je vois tomber un billet de cinq dollars dans le chapeau posé à l'envers sur le trottoir, mais même si cette obole est bien supérieure à ce que donnent la plupart des passants, elle n'apaise pas la colère du vieil homme. Il continue de crier. J'ai un mouvement de recul quand ses yeux croisent les miens. Une balafre en zigzag lui barre le sourcil gauche et la moitié de la joue, et son œil est dévié de son axe. Je le dévisage en me demandant s'il est borgne et il se met à m'abreuver d'insultes. L'homme élégant m'adresse un regard compréhensif avant de tourner les talons pour s'éloigner. Je me remets en route en me demandant comment Billy et

Morgan ont pu croire que cette expérience allait me remonter le moral.

Après cet incident, le paysage urbain se met rapidement à changer à mesure que je m'enfonce dans ce déprimant quartier. L'endroit se trouve dans une zone urbaine en pleine décrépitude, à deux coins de rue d'un ensemble tentaculaire de logements sociaux. Je m'apprête à tourner à l'angle de la rue quand une femme emmitouflée dans un épais parka et chaussée d'espadrilles usées jusqu'à la corde se met à m'insulter. C'est du moins ma première impression. Il s'avère que ses invectives ne me sont pas adressées personnellement. Elle passe en trombe près de moi en poussant un panier à roulettes rempli de ce qui ressemble à des sacs à ordures tout en proférant des insanités d'un air menaçant.

J'arrive à destination avec cinq minutes d'avance. Malgré la température bien en dessous de zéro et le sinistre ciel de plomb, un groupe d'hommes vêtus de manteaux raides de crasse, arborant pour la plupart des cheveux graisseux et des barbes hirsutes, traînent sur le trottoir devant l'église dont le rez-de-chaussée abrite l'accueil de jour. Je me demande pourquoi ils s'obstinent à grelotter dehors alors qu'ils pourraient rester au chaud, avant de remarquer que la grande majorité d'entre eux sont en train de fumer. Billy m'a dit que le refuge appliquait une stricte politique anti-tabac, si bien que les gens qui veulent griller une cigarette doivent le faire dehors. La plupart des fumeurs m'ignorent, mais deux d'entre eux me jaugent d'un bref coup d'œil quand je m'approche de la porte d'entrée. L'un d'eux dit quelques mots que je ne saisis pas et son comparse éclate d'un rire aussi gras que son pardessus.

J'ouvre la porte et n'ai pas sitôt mis le pied à l'intérieur que je suis assaillie par la chaleur et une odeur de corps mal lavés, de tabac froid et de mauvaises haleines à laquelle se mêlent l'arôme du café et des relents de cuisine. Jamais de ma vie je n'ai senti une puanteur pareille. Je me demande si Billy n'a pas délibérément évité de m'en parler ou s'il a fini par s'y habituer. Je trouve étonnant que Morgan ne m'en ait rien dit. Il est impossible qu'elle, elle ait pu s'y habituer.

À ce que je peux observer depuis la porte principale, le centre d'accueil occupe toute la superficie du rez-de-chaussée de l'église, un local immense qu'on a divisé en plusieurs sections ; je repère aussi une cuisine en voyant quelqu'un sortir en hâte par une porte située tout au fond. J'aperçois également plusieurs pièces plus petites, dont deux semblent servir de bureaux et la troisième de salle de réunion.

Je balaie du regard l'endroit. Dans le coin le plus éloigné de l'entrée, quelques fauteuils miteux et deux canapés avachis encerclent un poste de télévision allumé qui diffuse un débat. Fauteuils et canapés sont presque tous occupés. Quelques personnes, surtout des femmes qui ont garé leur chariot à roulettes à côté d'elles, regardent l'émission ou, à tout le moins, braquent leurs yeux sur l'écran. Plusieurs semblent assoupies. Quelques-unes bavardent, certaines avec leurs voisines, d'autres toutes seules.

Dans un autre coin de la salle, devant une longue table de bois flanquée de chaises pliantes, des gens sont attablés devant des plateaux de plastique orange sur lesquels sont posés des bols de céréales, des tasses de café et des assiettes de rôties. Le long du mur, une femme – sans doute une bénévole – distribue des sandwichs enveloppés dans de la pellicule plastique et des contenants de soupe. Un énorme percolateur à café en libre-service trône sur une autre table, plus petite celle-là.

La troisième et dernière section comprend une demi-douzaine de tables à jeux et de chaises pliantes, quelques fauteuils usés et une petite bibliothèque aux rayonnages bourrés de livres de poche. J'aperçois des paquets de cartes, des planches de Crib et des échiquiers empilés sur le dessus. Un groupe d'hommes jouent aux cartes.

Je ne vois Billy nulle part.

Je sursaute quand une main se pose sur mon épaule. Je me retourne et me retrouve nez à nez avec un homme au visage hâlé et ridé, vêtu d'un jean délavé et d'une chemise en denim râpée. Il a noué ses longs cheveux gris en queue de cheval et dégage un parfum de savon et de lotion après-rasage.

— Tu as l'air perdue, me dit-il.

— Je cherche Billy Royal. Il m'a donné rendez-vous ici.

L'homme m'adresse un sourire.

— Tu dois être Robyn. Billy a appelé. J'ai bien peur qu'il ait dû changer ses plans. Je m'appelle Art Donovan et je dirige ce centre.

Il me tend la main.

— Sais-tu te débrouiller dans une cuisine? me demande-t-il.

Je hoche la tête.

— Parfait. Je vais demander à quelqu'un de te montrer les lieux. Ensuite, si tu le veux bien, tu pourras aller aider à la cuisine.

Il lève le bras et fait claquer ses doigts.

— Ben! Ben, viens ici!

J'ai d'abord l'impression que tous les joueurs de cartes s'appellent Ben parce qu'ils se retournent tous pour regarder monsieur Donovan. Un des joueurs, plus jeune et mieux vêtu que les autres, se lève et vient nous rejoindre d'un pas élastique.

— Robyn, je te présente Ben Logan, dit monsieur Donovan. Ben, voici Robyn...

— Hunter.

— Robyn est ici pour la journée, ajoute monsieur Donovan. Qui sait, peut-être va-t-elle tellement s'y plaire qu'elle décidera de revenir. Rends-moi service, Ben. Fais-lui visiter les lieux, puis tu la confieras à Betty.

Il m'adresse un sourire.

— Betty ne dit jamais non à un coup de main. Bienvenue à bord, Robyn.

Et il me plante là en compagnie de Ben.

Ce dernier m'inspecte de la tête aux pieds.

— Jolies bottes, observe-t-il.

Je baisse les yeux vers mes pieds.

— Merci.

Elles sont toutes neuves et je les adore, mais bon sang, ce que ma mère a pu grogner quand elle a vu le prix.

— Joli manteau aussi, dit Ben.

Lui aussi est neuf, et incroyablement chaud.

— Il a dû coûter cher, ajoute Ben comme s'il s'agissait d'un péché.

Ses yeux dérivent vers les boucles d'oreilles en or que mon père m'a offertes pour mon anniversaire, puis s'attardent sur mon nouveau chandail.

Pendant qu'il me soumet à son inspection, je l'examine de mon côté. Comme Art Donovan, il porte un jean délavé; son chandail de laine a connu des jours meilleurs et il a aux pieds des souliers de course usés. Je commence à me sentir gênée. Comparativement à la sienne – et à celle de toutes les personnes ici présentes –, ma tenue vestimentaire détonne sérieusement.

— Allez viens, je te fais faire le grand tour, dit Ben.

À voir la mine qu'il fait, j'ai le sentiment qu'il préférerait aller récurer les toilettes plutôt que de me servir de guide. Il commence par me montrer les bureaux: celui de monsieur Donovan, qui donne sur la grande salle, un autre pour l'infirmière qui passe régulièrement et, au bout d'un petit couloir, le local où la travailleuse sociale aide les sans-abri à obtenir les services dont ils ont besoin. Dans un espace de travail trônent deux ordinateurs sur lesquels les clients du centre peuvent accéder à Internet. Ben m'entraîne ensuite à l'autre bout de la salle ; une émission culinaire a remplacé le débat télévisé et personne ne dit un mot.

Ben me pousse du coude à côté du poste de télévision.

— Hé, tout le monde. Je vous présente Robyn ! lance-t-il d'une voix forte.

Deux personnes s'arrachent brièvement de la contemplation de l'écran pour me jeter un regard. Les autres gardent les yeux rivés sur l'émission culinaire.

Ben m'escorte ensuite jusqu'à la longue table où une douzaine de personnes sont en train d'engloutir du gruau au lait. Je vois un homme tremper une tranche de pain dans sa tasse de café pour ensuite se mettre à la sucer. Beurk ! À ce que je peux voir, il ne lui reste presque plus de dents.

— Hé, tout le monde ! répète Ben. Je vous présente Robyn.

Quelques paires d'yeux se lèvent dans ma direction. Je reconnais parmi les personnes attablées le jeune homme à qui j'ai donné ma monnaie devant le magasin à louer. Les mains serrées autour d'une tasse de café, il regarde fixement mes bottes et fronce les sourcils quand Ben me présente à la ronde.

Devant cette absence de réaction, Ben hausse les épaules.

— Tu peux voir à quel point l'arrivée d'une nouvelle « deux-quatre » excite tout le monde, me dit-il sur un ton sarcastique.

— « Deux-quatre » ?

— Comme dans vingt-quatre… heures. Les « deux-quatre » sont de vrais météores. Il en vient ici tout le temps. Des gamins qui font quelques heures de service communautaire pour l'école. Des gens qui se pointent une fois par an, généralement pour servir le repas de Noël et apaiser leur conscience pour tous ces Gucci, Prada ou Louis Vuitton qu'ils ont reçus en cadeau. Viens, je vais te montrer le reste pour que tu puisses décrire à tes copines à quoi ressemble un refuge pour sans-abri – à supposer que tes copines s'intéressent à autre chose qu'aux vitrines des boutiques.

Je le dévisage.

— De quel droit me parles-tu sur ce ton ? Tu ne me connais ni d'Ève ni d'Adam !

Il recommence à inspecter ma tenue en s'attardant ostensiblement à mes boucles d'oreilles, mon manteau et mes bottes.

— Je vois, lui dis-je. Tu es persuadé, à cause de ma façon de m'habiller – j'inspecte tout aussi ostensiblement ses vêtements miteux – que je ne m'intéresse absolument pas à ces gens-là.

À peine ai-je dit « ces gens-là » que plusieurs paires d'yeux se lèvent des bols de céréales et des tasses de café pour se fixer sur moi. Ça commence bien ! J'ai probablement dû les vexer.

— Et c'est pour ça que tu es ici ? demande Ben. Parce que tu t'intéresses à eux ?

J'aimerais pouvoir lui répondre que c'est exactement la raison de ma présence ici, mais ce serait mentir. Pas question de l'admettre devant lui, par contre.

— Je suis venue parce que mon ami Billy fait du bénévolat ici et il m'a dit qu'ils avaient tout le temps besoin de bras supplémentaires, lui dis-je d'un ton sec.

— Billy ? s'exclame-t-il, surpris. Billy Royal ?

Je hoche la tête.

— Toi, tu es une amie de Billy ?

Il a l'air aussi étonné que s'il surprenait Billy en train de mordre à belles dents dans un gros steak saignant.

— Depuis la maternelle.

— Euh, je suis désolé. Je ne savais pas. Je croyais que tu étais une…

— « Deux-quatre ». Ouais, je sais. Monsieur Donovan m'a dit qu'on avait besoin d'un coup de main en cuisine, alors si tu veux bien m'excuser…

« Et même si tu ne le veux pas », me dis-je. Je tourne les talons et gagne la cuisine où je décline mon identité à une femme qui se trouve être Betty. Debout devant un plan de travail, elle s'affaire à écaler plusieurs douzaines d'œufs durs. À côté d'elle, un énorme chaudron de soupe mijote sur la cuisinière.

— Sais-tu suivre une recette ? me demande-t-elle.

— Oui.

Elle me montre d'un geste un livre posé sur le plan de travail.

— Nous faisons trois sortes de biscuits – avoine et raisins, pépites de chocolat et mélasse aux épices. Il m'en faut douze douzaines de chaque.

— Douze douzaines ?

— De chaque.

— Mais ça fait...

J'en oublie mes tables de multiplication.

— Quatre cent trente-deux biscuits. De quoi tenir jusqu'à la fin de la semaine.

Quatre cent trente-deux biscuits pour tenir jusqu'à samedi ?

— Ce serait moins compliqué de simplement les acheter, précise Betty comme si elle lisait dans mes pensées. Mais les clients s'alimentent mal si on ne leur sert pas de la nourriture saine. Et je suis partisane de la nourriture saine, notamment des biscuits confectionnés avec de vrais œufs et sans ces additifs chimiques ou ces agents de conservation qu'ils mettent dans les pâtisseries industrielles. Nous recevons entre quatre-vingts et cent personnes, chaque jour, à midi. Chacune a droit à un fruit et deux biscuits pour dessert, ce qui fait entre cent soixante et deux cents biscuits par repas. Et nous en emballons quelques-uns pour les donner à ceux qui préfèrent passer prendre un sandwich à emporter. Et il y en a toujours qui en piquent quelques-uns en douce. Les plaques à biscuits sont par là.

Elle m'indique l'endroit d'un geste.

— Tu trouveras là-bas saladiers, cuillers en bois et tasses à mesurer, ajoute-t-elle en désignant le mur du fond. On peut cuire douze biscuits de bonne taille sur une plaque et mettre deux plaques à la fois dans le four, quinze minutes par fournée.

Ce qui fait... j'en oublie encore mon arithmétique.

— Ce qui fait quatre heures et demie pour la cuisson de tous les biscuits. Mais tu dois d'abord préparer ta pâte. Voilà comment t'y prendre…

On s'y prend, comme je vais le découvrir, en mélangeant un premier bol de pâte – je commence par les biscuits à l'avoine et aux raisins – que l'on dépose sur des plaques à pâtisserie. On enfourne et on défourne et, dans l'intervalle, on prépare la pâte de la deuxième sorte de biscuits. Et cetera, et cetera.

Deux heures et demie et une montagne de biscuits plus tard, Betty m'annonce qu'elle sort griller une cigarette.

— Je sais que ce n'est pas bon pour ma santé, me dit-elle. Si tu savais combien de fois j'ai essayé d'arrêter ! Tiendrais-tu le fort pour moi, Robyn ?

Elle enfile son parka.

— Les clients ne sont pas autorisés à mettre les pieds dans la cuisine. Et personne, je dis bien personne, n'a le droit de descendre à la cave.

D'un signe de tête, elle me montre la porte donnant accès à l'escalier.

— Pourquoi ne pas la verrouiller en permanence ?

— Parce que toutes mes provisions y sont stockées, me répond Betty. Et parce que Art est le seul à en avoir la clef. Il dit que c'est ainsi plus facile d'en contrôler l'accès. Il ouvre la porte quand j'arrive et la referme à clef quand j'ai fini ma journée. L'accès à la cave est strictement interdit aux clients. Je reviens dans dix minutes.

Je viens juste de commencer à mélanger la pâte des biscuits à la mélasse quand un vieil homme déguenillé pénètre dans la cuisine. Son crâne attire aussitôt mon attention. Il est déformé comme si, sous ses cheveux tout feutrés, manquait une partie de la boîte crânienne. Puis j'examine son visage, la vilaine cicatrice et l'œil gauche de travers, je reconnais alors le mendiant que j'ai croisé dans la rue, celui qui injuriait un passant qui venait de déposer un billet de cinq dollars dans son chapeau.

Betty m'a dit que la cuisine était interdite aux personnes qui fréquentent le centre d'accueil – qu'elle a appelés des clients.

« Si quelqu'un entre, demande-lui poliment de sortir, m'a-t-elle recommandé. S'il refuse, appelle Art. »

Le vieil homme contemple les biscuits à l'avoine et aux raisins rangés dans de grands bocaux de plastique posés sur le plan de travail. Je l'observe en espérant qu'il déguerpisse.

Il ne bouge pas d'un pouce.

Et commence à se remplir les poches de biscuits.

— Je vous demande pardon, lui dis-je, mais je ne pense pas que vous soyez autorisé à faire ça.

Il fourre plusieurs autres biscuits dans ses poches.

— Je vous demande pardon.

Je pense à toutes les personnes qui viennent manger ici tous les jours et qui attendent sûrement leurs biscuits avec impatience.

— Excusez-moi, mais vous ne pouvez pas vous servir comme ça.

Je fais un pas dans sa direction et m'arrête net quand il fait volte-face pour me dévisager, les poings levés comme ceux d'un boxeur. Je commence par le trouver cocasse – ce vieil homme qui cherche à m'intimider pour chaparder des biscuits comme le ferait un petit garçon. Mais l'éclat farouche de son regard me fait changer d'avis et je commence à me demander s'il n'est pas dangereux.

Les poings toujours levés, il me toise d'un air belliqueux. Puis il fait un pas vers moi.

Je bats en retraite. Dès qu'il me voit reculer, il s'approche du plan de travail situé à l'autre extrémité de la cuisine où, avant de sortir, Betty coupait en deux des sandwichs avant de les emballer dans de la pellicule plastique. Le couteau qu'elle utilisait est posé sur une planche à découper à côté d'un saladier empli d'œufs durs écalés. Je vois la main du vieil homme se tendre dans cette direction. Va-t-il s'emparer du couteau? Et si oui, que vais-je faire? Je jette des regards désespérés autour de moi. Où est Betty? Elle devrait avoir fini sa cigarette, à présent. Elle saura sûrement comment gérer la situation.

La porte de la cuisine s'ouvre. «Betty», me dis-je, soulagée.

Mais ce n'est pas Betty. C'est Ben Logan.

— Écoute, commence-t-il, j'ai réfléchi…

Ses yeux passent de moi au vieil homme qui s'est emparé non pas du couteau, mais d'un œuf dur qu'il enfourne tout rond dans sa bouche.

— Monsieur Duffy, vous n'êtes pas censé être ici, dit Ben avec patience.

Il s'approche du vieil homme et pose la main sur son bras.

— Venez. Sortons d'ici avant le retour de Betty. Vous savez comment elle réagit quand elle trouve dans sa cuisine des gens qui n'ont rien à y faire.

Ben tire sur la manche de monsieur Duffy et j'ai un mouvement de recul, craignant de voir le vieil homme se retourner pour lui flanquer son poing sur le nez ou pire encore, s'emparer du couteau et le menacer. Mais je me trompe. Monsieur Duffy se laisse docilement conduire par Ben en direction de la porte. À peine l'ont-ils atteinte qu'elle s'ouvre toute grande sur Betty, qui entre en déboutonnant son manteau. À la vue du vieil homme, elle se met à secouer la tête.

— Qu'est-ce que vous avez encore fait, monsieur Duffy ?

Il ne répond pas et elle échange un coup d'œil avec Ben, qui se contente de hausser les épaules.

— Va-t-il encore falloir vous faire les poches, monsieur Duffy ? demande Betty.

Monsieur Duffy garde les yeux rivés au plancher. Il ne proteste pas, ne fait pas le moindre geste, lorsque Betty plonge sa main dans une de ses poches.

— Monsieur Duffy, dit-elle sur un ton aussi patient que celui de Ben tout à l'heure, vous venez au refuge depuis assez longtemps pour savoir qu'il y aura des biscuits pour tout le monde à condition que personne n'en prenne plus que sa part.

Elle extrait les biscuits d'une poche de son manteau, puis vide l'autre poche et empile son butin sur le plan de travail. Elle secoue encore la tête.

— Ça fait seize biscuits, monsieur Duffy. Savez-vous ce que va faire monsieur Donovan s'il apprend que vous avez pris seize biscuits ?

Monsieur Duffy relève la tête pour la regarder droit dans les yeux. Il ne semble plus ni agressif ni dangereux. Il sourit à Betty, comme s'il lui faisait le coup du charme. Et ça marche. Elle pousse un soupir, lui tend deux biscuits – un à l'avoine et l'autre aux brisures de chocolat – avant d'ajouter :

— Sortez d'ici avec Ben. Et Ben ? Inutile d'en parler à qui que ce soit, d'accord ?

Ben hoche la tête avant de quitter la pièce, monsieur Duffy sur les talons.

— Et qu'est-ce qu'il ferait, monsieur Donovan, s'il l'apprenait ?

— Il lui interdirait probablement l'accès au centre pendant deux jours, me répond Betty. Art essaie de se montrer compréhensif. Comme nous tous. La plupart des gens qui viennent ici ont leur lot de problèmes, mais se conduisent généralement de manière raisonnable sans nous créer des ennuis. Quelques-uns, en revanche, peuvent agir de manière impulsive.

Au ton qu'a employé Betty, je devine que monsieur Duffy appartient à cette dernière catégorie.

— Mais il y a deux choses que nous ne pouvons tolérer : le vol de nos affaires, et la violence. Tout le monde connaît les règles et comprend pour quelles raisons elles existent.

Elle contemple les biscuits qu'elle vient de confisquer et pousse un soupir avant de les jeter à la poubelle.

— C'est du gaspillage, je sais, me dit-elle en se tournant vers moi. Une fois qu'il les a chapardés, on pourrait tout aussi bien les lui laisser, pour ce qu'ils peuvent servir. Mais les règles sont les règles et ce ne serait pas juste de laisser quelqu'un dévaliser la cuisine en toute impunité.

Je range le dernier biscuit dans un des grands bocaux en plastique que Betty a sortis.

— Je peux faire autre chose ?

— Il me semble que tu en as assez fait pour aujourd'hui, me répond Betty. Tu dois être morte de fatigue.

Elle a raison. J'ai les pieds et le dos endoloris après être restée des heures debout. Je me lave les mains une dernière fois, accroche mon tablier et m'en vais chercher mon manteau. Je m'arrête en cours de route pour saluer Art Donovan.

— Merci d'être venue, me dit-il. J'espère que Betty ne t'a pas fait travailler trop dur.

— Je suis contente d'avoir pu vous donner un coup de main, lui dis-je en m'imaginant déjà en train de me prélasser dans un bon bain moussant. Billy ne fait que répéter que vous manquez tout le temps de bénévoles.

— Il a raison. Justement, je me demandais si tu n'aurais pas un peu de temps libre demain.

— Eh bien, je…

C'est un fait que je n'ai rien prévu de précis.

— Nous aurons des bénévoles à la pelle quand viendra Noël, ajoute Art Donovan. Mais pour le moment, nous sommes vraiment à court. Deux bénévoles aident habituellement Betty en cuisine, mais l'une d'elles a dû quitter la ville pour des raisons familiales et l'autre ne pourra pas venir demain. Qu'en dis-tu ?

Que pourrais-je bien dire ? Je ne sais pas dire non quand on me demande un service, si bien que j'accepte.

— Fantastique, fait monsieur Donovan. Attends-moi ici une minute.

Il disparaît dans un des petits bureaux et revient en brandissant une feuille de papier.

— Tu rempliras ça et tu me le rapporteras demain. C'est un formulaire de renseignements. Nous demandons à tous les bénévoles de le remplir – nom, coordonnées, qui contacter en cas d'urgence, ce genre de choses. D'accord ?

J'accepte d'un signe de tête.

— Parfait. On se voit demain, alors.

Vingt-quatre heures plus tard, je me jure bien d'apprendre à dire non.

3

Le lendemain, Billy, pris par son association pour les droits des animaux, ne peut venir travailler à l'accueil. Morgan a toujours mal à la gorge – c'est du moins ce qu'elle me chuchote d'une voix pitoyable. Si bien que je reprends toute seule le chemin du centre-ville. Et, naturellement, la première personne sur qui je tombe en mettant le pied dans l'église est Ben Logan. Il est en train de bavarder avec le jeune gars crasseux à qui j'ai déjà donné de l'argent. Ce dernier me désigne d'un geste, dit quelque chose à Ben, puis se couvre la bouche de la main. Je devine qu'il est en train de rire. Ben s'esclaffe lui aussi avant de lui tendre quelque chose. Je sens le rouge me monter aux joues.

— Je ne pensais pas te revoir ici, me dit Ben quand je passe devant eux.

— Je sais, lui dis-je sans m'arrêter. Je suis une « deux-quatre ».

Je me rends directement à la cuisine, où Betty m'assigne pour tâche la confection et l'emballage de sandwichs. Ben fait son apparition quelques minutes plus tard. J'ignore sa présence.

— Allez ! fait-il. Tu ne veux pas me parler ?

— Je t'ai vu te moquer de moi.

— Me moquer de toi ?

Il me regarde sans comprendre.

— À l'instant. Tu rigolais avec l'autre type.

— On ne riait pas de toi.

— Il m'a montrée du doigt.

— Il me montrait tes bottes.

Encore ces bottes ! Je me souviens de l'avoir vu les contempler hier, quand Ben me faisait visiter les lieux.

— Lui non plus ne les aime pas, c'est ça ?

— Il n'en a pas parlé. Mais c'est grâce à elles qu'il t'a reconnue.

— Hein ? De quoi parles-tu ?

— Andrew ne regarde jamais les gens dans les yeux quand il mendie. Mais leurs chaussures n'ont aucun secret pour lui. Hier, quand je t'ai fait visiter le refuge, il a reconnu tes bottes. Il m'a dit que tu lui avais donné de l'argent.

— Et alors ?

— Et alors quoi ?

— Qu'est-ce qu'elles ont de si drôle, mes bottes ?

— Rien.

— Vous avez rigolé tous les deux.

— C'est vrai. Mais Andrew ne riait pas de toi. Il riait de moi.

— De toi ?

Compte-t-il vraiment me faire avaler ça ?

Ben se dandine, mal à l'aise.

— Andrew m'a dit hier que j'avais plus de préjugés que certains des passants qui le croisent dans la rue. Il dit qu'ils le jugent à son apparence et que moi, je fais la même chose avec toi. Il m'a parié que tu n'étais pas une « deux-quatre » et que tu allais revenir.

— C'est vrai ?

Ben hoche la tête.

— Et il avait raison. Andrew adore avoir raison. C'est ça qui le faisait rire. Écoute, je regrette d'avoir agi comme je l'ai fait. J'ignorais que tu étais une amie de Billy. Et ça saute aux yeux que tu n'es pas une « deux-quatre ». Pour l'instant, tu es au moins une « quatre-huit ».

Il grimace un sourire et devant mon manque de réaction, il ajoute :

— Je blaguais. Tu saisis ?

— Je saisis.

— Alors, qu'en dis-tu ? On devient amis ?

Amis ? Après la façon dont il m'a traité !

— D'accord, je mérite ce regard. Je me suis montré assez odieux.

— Assez ?

— Je pensais... bon, tu sais déjà ce que je pensais. Faute d'être amis, peut-on au moins ne pas être ennemis ? Ça me donnera une chance de te montrer quel type formidable je suis.

Bon, il fait vraiment un effort. Et non seulement il semble sincère, mais il n'a pas peur de reconnaître ses erreurs. Et de toute évidence, il tient Billy en haute estime. Je me laisse un peu attendrir.

— Disons que je peux m'arranger avec ça.

Son visage s'éclaire et je commence à me dire qu'il n'est peut-être pas si détestable, après tout.

Une heure plus tard, j'ai converti en sandwichs deux douzaines de pains – sandwichs aux œufs, au beurre d'arachide, au jambon, au thon – et je m'apprête à attaquer les sandwichs jambon fromage lorsque Betty est convoquée à une réunion avec monsieur Donovan.

Quelques minutes après son départ, je suis en train de tartiner de moutarde des tranches de pain disposées sur le plan de travail quand j'aperçois quelqu'un entrer furtivement dans la cuisine pour filer directement à la cave.

J'hésite quelques instants. Betty m'a bien dit que l'accès à la cave était interdit. Je vais me poster en haut de l'escalier.

— Il y a quelqu'un ? C'est vous, Betty ?

Pas de réponse.

J'entends un « clang » métallique résonner en bas. Comme si quelqu'un était en train d'empiler des boîtes de conserve. Ce doit être Betty. Mais pourquoi n'a-t-elle pas répondu ? Je descends l'escalier. Arrivée en bas, j'aperçois un homme vêtu d'un long pardessus miteux agenouillé à l'extrémité de la rangée d'étagères qui couvrent tout un mur. C'est monsieur Duffy. Il fouille dans une boîte de carton.

— Excusez-moi.

Depuis l'incident d'hier, il me fait un peu peur et je prends soin de rester à distance.

— Excusez-moi, mais vous n'avez pas le droit d'être ici.

Monsieur Duffy m'ignore. Il fouille dans le carton et en sort des conserves. J'entrevois une étiquette. Des pêches au sirop. Il en glisse deux boîtes dans chacune de ses poches. Un peu d'indulgence, me dis-je. Après tout, c'est un sans-abri et de toute évidence, il a faim. Mais c'est le cas de tous ceux qui fréquentent cet endroit. Voler dans la réserve revient à voler tous ceux qui comptent sur cet organisme pour se nourrir. C'est une infraction aux règles. Et Betty n'a-t-elle pas dit que les règles étaient les règles? Je me souviens de la manière dont elle a géré la situation hier. Elle a fait preuve de patience, mais aussi de fermeté.

Je m'approche doucement.

— Monsieur Duffy. Vous ne pouvez pas prendre ça.

L'homme ne réagit pas comme il l'a fait hier devant Betty. Plutôt qu'obéir docilement, il se relève d'un bond et fait volte-face, son visage balafré crispé par la colère et l'hostilité.

— Monsieur Duffy, je vous en prie.

Mais je n'ai pas le temps d'ajouter quoi que ce soit. Il jette un coup d'œil dans ma direction, puis vers l'escalier derrière moi et s'élance en me poussant violemment. Je chancelle, trébuche sur une caisse et perds l'équilibre. Je tends en vain les bras pour me raccrocher à quelque chose et atterris lourdement sur le sol. Ma tête rebondit sur le ciment. Je sens un objet tranchant m'érafler le côté du visage, à proximité de l'œil. Sonnée, je reste étendue un moment sur le sol de béton.

Monsieur Duffy me surplombe, les poches déformées, une boîte de pêches dans chaque main. Je me recroqueville sur moi-même, terrifiée à l'idée qu'il se mette à me bombarder avec les conserves. Mais il n'en fait rien. Il m'enjambe et je l'entends gravir les marches de l'escalier pour regagner la cuisine.

J'ai mal au crâne. Désorientée, je me force à me relever en position assise. J'ai le côté du visage qui me brûle. Je dois agripper la rampe en bois à deux mains pour garder mon équilibre tandis que je gravis les marches clopin-clopant. Le temps de regagner la cuisine, monsieur Duffy a disparu. Je vois Ben franchir le seuil de la porte, un percolateur dans les bras. Il s'arrête net en me voyant et me regarde avec une drôle d'expression.

— Qu'est-ce qui se passe ?

— As-tu vu monsieur Duffy ?

— Monsieur Duffy ? Pourquoi ?

— Je l'ai surpris dans la cave à piquer de la nourriture. J'ai voulu l'arrêter, mais il m'a attaquée.

J'ai les jambes qui flageolent et un violent mal de tête. Je me sens étourdie et la tempe me brûle. Monsieur Duffy m'a vraiment fait peur.

— Où est monsieur Donovan ?

— Je crois qu'il est dans son bureau, mais…

Je me dirige vers la porte.

— Holà, attends, fait Ben.

Il m'attrape par le bras.

— Tu saignes.

— Quoi?

Je lève la main pour toucher le côté droit de mon visage. J'ai du sang sur les doigts. Je me penche en me dévissant le cou et distingue mon reflet dans l'acier du grand grille-pain posé sur le plan de travail. Du sang s'écoule de ce qui me paraît être une vilaine entaille, tout près de l'oreille droite. Je vois aussi du sang sur le col de mon chandail. Craignant de m'évanouir, je tends les mains et m'accroche au comptoir de cuisine en sentant mes genoux se dérober sous moi.

Ben me rejoint en une seconde. Il repousse gentiment mes cheveux derrière mon oreille droite et presse un linge propre sur la plaie. Il me retient d'une main et de l'autre tire une chaise vers moi.

— Assieds-toi.

Il m'aide à m'installer.

— Fais voir, dit-il.

Il soulève le linge avec précaution pour aussitôt le réappliquer sur mon visage.

— Je crois que tu devrais te faire examiner, dit-il.

Son expression soucieuse me terrifie.

— C'est si grave que ça?

— Où est ton manteau? On va prendre un taxi et filer à l'hôpital. Ce n'est pas loin.

— Mais monsieur Donovan…

— Une chose à la fois, répond Ben. Attends-moi.

Il revient quelques instants plus tard, son parka sur le dos, mon manteau sur le bras. Il m'aide à l'enfiler, m'ordonne de ne pas relâcher la pression sur la plaie et me fait sortir à toute allure par la porte latérale. Une fois dans la rue, il hèle un taxi. Andrew, le jeune type crasseux qui m'a reconnue grâce à mes bottes, est planté au bord du trottoir. Ben m'aide à monter dans la voiture et demande au chauffeur de nous emmener au service des urgences le plus proche.

— Hé, Ben, ça va ? l'interpelle Andrew quand il grimpe à son tour dans le taxi.

Ben ne répond pas. Il claque la portière et presse le chauffeur de faire vite.

Nous attendons près d'une demi-heure aux urgences de l'hôpital le plus proche. Ben ne cesse de se lever pour aller dire à la réceptionniste que je saigne. Finalement, une infirmière nous conduit dans une petite salle où nous attendons encore jusqu'à l'arrivée d'un médecin qui m'examine. Diagnostic : légère commotion (il me tend un feuillet d'information sur les blessures à la tête) et lacération faciale. Dites-moi pourquoi une « lacération » paraît toujours plus grave qu'une simple « coupure » ?

— Je vais te faire quelques points de suture, m'annonce le docteur.

À peine a-t-il parlé que je vois une aiguille s'approcher de mon visage.

— Anesthésie locale, explique-t-il avant d'ajouter : ça risque de piquer un peu.

— Avec de la chance, déclare le médecin quand il a terminé, tu n'auras pas de cicatrice.

Cicatrice ?

— Et si tu ne tires pas tes cheveux en arrière, ajoute-t-il gaiement, personne ne devinera quoi que ce soit.

Dès que le médecin en a fini avec moi, quelqu'un frappe à la porte. C'est monsieur Donovan. Il jette un coup d'œil à Ben avant de me demander si ça va. Je lui réponds oui, même si je me sens un peu étourdie, que j'ai encore mal au crâne et que la seule chose à laquelle je peux penser est la possibilité de me retrouver avec une balafre sur le côté du visage. Je lui raconte ce qu'a dit et fait le médecin et il s'approche pour regarder le pansement.

— J'ai prévenu ton père, me dit-il.

J'ai indiqué le nom et les coordonnées de mon père sur le formulaire de renseignements, comme personne à contacter en cas d'urgence. Il a tendance à garder son sang-froid en cas de coup dur, contrairement à ma mère, probablement parce qu'il a été flic.

— Il est en route, ajoute monsieur Donovan.

— Comment avez-vous su où nous étions ? lui demande Ben.

— Andrew vous a vus, Robyn et toi, monter dans un taxi et il t'a entendu demander au chauffeur de vous conduire aux urgences les plus proches. Il m'a dit qu'il pensait que Robyn était blessée.

Monsieur Donovan dévisage le garçon d'un air sévère.

— Tu travailles avec nous depuis assez longtemps pour connaître la marche à suivre, Ben. Si quelqu'un se blesse, je dois en être aussitôt avisé.

Il se tourne vers moi.

— Peux-tu me raconter ce qui s'est passé, Robyn ?

— C'était un accident, intervient Ben. Quand j'ai vu qu'elle saignait, j'ai paniqué.

Je le dévisage. Il m'a pourtant semblé calme et parfaitement maître de lui.

— J'ai décidé de l'emmener sur-le-champ à l'hôpital. J'allais vous appeler.

— Va m'attendre dehors, Ben. J'aimerais parler à Robyn en tête à tête.

Le regard de Ben croise le mien et s'y attarde, comme s'il voulait me transmettre un message. Il me montre d'un signe monsieur Donovan, puis secoue la tête. Que veut-il me faire comprendre ? Puis il sort dans le couloir. Monsieur Donovan ferme la porte derrière lui et m'écoute avec attention raconter ce qui s'est passé.

— Monsieur Duffy peut se montrer imprévisible, dit-il une fois que j'ai terminé mon récit. Je suis désolé. Veux-tu porter plainte ?

— Porter plainte ?

Jamais cette idée ne m'a effleuré l'esprit.

— Je ne pense pas qu'il ait eu l'intention de me pousser si brutalement, lui dis-je.

Du moins, je l'espère.

— J'imagine qu'après ce qui s'est passé hier, il ne doit pas me porter dans son cœur.

— Hier ? fait monsieur Donovan.

Ho, ho ! Betty avait bien dit à Ben de garder pour lui l'affaire des biscuits volés.

— Qu'est-ce qui s'est passé hier, Robyn ?

Monsieur Duffy a piqué de la nourriture. À deux reprises, en comptant l'épisode d'aujourd'hui. Monsieur Donovan est en droit d'être au courant. Je lui raconte l'incident de la veille.

— Ben dit qu'il est inoffensif. Mais à vrai dire, il me fait un peu peur.

— En gros, c'est vrai, Ben a raison, me dit monsieur Donovan. Ne t'inquiète pas, Robyn. Je vais avoir un entretien avec monsieur Duffy.

Mon père entre dans la pièce. Monsieur Donovan le met brièvement au courant, puis lui pose la même question qu'il m'a posée tout à l'heure – s'il désire porter plainte. Mon père me consulte du regard. Je fais non de la tête.

— Si cet homme s'est montré violent envers toi, Robbie, il peut recommencer avec quelqu'un d'autre, déclare mon père.

— Il ne nous pose pas de problème d'habitude, explique monsieur Donovan.

Mon père le regarde d'un air sceptique avant de se tourner vers moi.

— Monsieur Donovan va lui parler, lui dis-je.

— Et je vais faire en sorte qu'il comprenne la leçon, rajoute monsieur Donovan pour rassurer mon père.

Celui-ci semble en douter, mais dit que c'est à moi de décider.

— J'espère que cet incident ne te dissuadera pas de travailler avec nous à l'avenir, me dit monsieur Donovan avant de sortir.

Mon père le foudroie du regard au passage, puis il inspecte mon visage.

— Ta mère risque de râler quand elle va voir ça, me dit-il en se penchant pour regarder de plus près mon pansement.

Râler? Quel euphémisme! Elle va piquer une crise, oui. Déjà qu'elle me surprotège, surtout depuis ce qui m'est arrivé avec Nick. Cette histoire ne fera qu'aggraver les choses.

— En fait, papa, j'espérais pouvoir passer la nuit chez toi.

— Je regrette, Robbie. C'est impossible.

— Comment ça, impossible?

— Tu sais que j'adore tes visites…

— Mes visites? Mais tu m'as dit quand maman et toi avez divorcé que je serais toujours bienvenue chez toi parce que c'est aussi chez moi. Mon second foyer.

— Tu es chez toi chez moi, Robbie. Mais connaissant ta mère, je suppose qu'elle doit déjà être en train de faire les cent pas. Tu sais comment elle est. Elle va vouloir constater par elle-même que tu vas bien.

— Tu l'as prévenue?

— J'ai appelé l'hôpital en chemin pour savoir comment tu allais. Puis j'ai téléphoné à ta mère. Je lui ai dit qu'il y avait eu un accident au centre et qu'on t'avait conduite à l'hôpital pour un examen, mais qu'il n'y avait aucun motif de s'inquiéter. La seule et unique raison pour laquelle elle n'est pas ici, c'est parce que je lui ai juré de la rappeler dès que je t'aurais vue.

— Mais, papa…

— Et je lui ai promis de te ramener directement à la maison. N'insiste pas, Robbie. Si ta mère apprend qu'on t'a fait des points de suture sans qu'elle le sache, elle va m'écorcher vif. Allez, on s'en va.

Il m'aide à enfiler mon manteau.

Ben est dans le couloir. Il vient à notre rencontre, ensuite lui et mon père échangent un regard.

— Je vais passer un coup de fil à ta mère, dit mon père. Je reviens tout de suite.

— Bravo, fait Ben dès que mon père s'éloigne, son cellulaire à l'oreille. Pourquoi n'as-tu pas appelé les policiers pour qu'ils arrêtent monsieur Duffy, tant qu'à faire ? Au moins, il passerait la nuit dans une cellule chauffée avec un repas chaud garanti !

— De quoi parles-tu ?

Et pourquoi cette soudaine colère contre moi ?

— J'ai parlé à monsieur Donovan, répond-il. Il va interdire l'accès de l'accueil à monsieur Duffy pendant une semaine.

Oh !

— Je n'ai jamais exigé ça, Ben. Il m'a demandé si je voulais porter plainte, et j'ai dit non. Mais monsieur Duffy a volé de la nourriture. Et à cause de lui, j'ai dû recevoir des points de suture. Ce n'est pas parce qu'il est itinérant que…

— Et toi, aimerais-tu ça rester dehors par ce froid pendant toute une semaine? Aimerais-tu ça, n'avoir aucun endroit où aller?

Sans me laisser le temps de répondre, il tourne les talons et s'éloigne. Quelle mouche l'a piqué? Lui qui s'était montré si gentil en voyant que j'étais blessée, me traite à présent comme si c'était moi qui avait agressé monsieur Duffy et non l'inverse. Eh bien, c'est son problème. Je pars à la recherche de mon père.

Ma mère se précipite sur le perron dès que mon père gare l'auto dans l'allée. Elle blêmit en apercevant mon bandage et le feuillet informatif sur les commotions cérébrales que lui tend mon père.

— Une commotion légère! nous exclamons-nous en chœur, papa et moi.

— Ça paraît pire que ça n'est, ajoute mon père. Elle va bien, je t'assure.

Ma mère le fusille du regard comme si elle le rendait responsable de mes blessures.

— Tu ne remettras jamais les pieds dans cet endroit, Robyn. C'est compris?

Je lui réponds de ne pas se faire de souci. Je n'ai aucune intention d'y retourner. J'ai eu plus que ma dose de monsieur Duffy – et de Ben Logan.

Et de Nick. Sans lui, jamais je n'aurais pensé ne serait-ce qu'approcher d'un lieu de ce genre. Il n'a toujours pas donné signe de vie. Où donc peut-il être?

4

Cette nuit-là, le mercure dégringole. La météo annonce encore plusieurs jours de froid intense. Billy m'appelle le lundi soir.

— Comment te sens-tu, Robyn?

Il m'a posé la même question une bonne douzaine de fois aujourd'hui à l'école. Il m'a dit qu'il connaissait monsieur Duffy, mais n'a jamais entendu dire qu'il ait déjà agressé quelqu'un. Il espère que je ne vais pas me mettre à penser que tous les sans-abri se comportent ainsi, parce que ce n'est pas vrai.

— Je me sens bien, Billy, ça n'a pas changé.

J'ai passé la journée à essayer de ne pas penser à une éventuelle cicatrice.

— Monsieur Donovan vient de m'appeler, dit Billy. La municipalité a émis une alerte de grand froid. En cas de vague de froid, l'accueil reste ouvert vingt-quatre heures, plutôt que de fermer pour la nuit. Je me demandais…

— N'y pense même pas, Billy. Je me suis bien promis en sortant de l'hôpital de ne jamais remettre les pieds là-bas, peu importe qui me le demande et les raisons qu'on invoque. Sans compter que même si j'acceptais d'y retourner, jamais ma mère ne me laisserait faire.

— Ils sont vraiment à court de personnel, Robyn. En particulier maintenant. C'est déjà compliqué de trouver des bénévoles pour travailler de nuit, surtout sans préavis. Et l'approche de Noël ne simplifie pas les choses. Il n'y aura aucun risque, je te le promets. On travaillera en équipe. Je veillerai à ce qu'il ne t'arrive rien. S'il te plaît. Je ne te le demanderais pas si ce n'était pas important.

À présent que j'ai vu l'accueil de l'intérieur, que je sais quels services on y offre, et que j'ai rencontré quelques-uns des habitués, j'ai une bien meilleure idée de ce que représentent ces services pour les gens qui en ont besoin et il m'est beaucoup moins facile de m'en laver les mains. Mais...

— Je ne sais pas, Billy...

— Ils ont besoin de bénévoles pour les équipes à l'intérieur, et d'autres pour les fourgonnettes.

— Les fourgonnettes ?

— Les patrouilles. Elles font le tour du centre-ville pour repérer ceux qui dorment dehors et les ramener au chaud. Tu ferais partie d'une des équipes en fourgonnette avec moi. Allez, Robyn. Il fait un froid terrible dehors. Par une nuit comme ça, les gens risquent littéralement de mourir gelés.

Je repense à Andrew. Je revois les femmes flanquées de leurs chariots à provision réunies autour du poste de télévision.

— Eh bien…

— Je te retrouve à l'arrêt de bus. On s'y rendra ensemble.

J'hésite.

— Et Morgan ? Est-ce qu'elle vient, elle aussi ?

— Elle ne peut pas. Elle m'a parlé d'une affaire de famille.

Une affaire de famille ? Elle ne m'en a pourtant pas soufflé mot.

— Alors, tu dis oui ? D'accord ? insiste Billy.

— Eh bien…

Si la demande venait de quelqu'un d'autre, je dirais non. Mais c'est Billy qui me sollicite et il a si bon cœur que je me sens comme le Grincheux de l'histoire. Sans compter qu'il m'accompagnera tout le temps.

— Je vais en parler à ma mère. Je te rappelle.

Ma mère commence à secouer la tête avant même que j'aie pu tout expliquer.

— Il m'a semblé que nous étions d'accord pour que tu n'y retournes pas.

— Mais Billy dit qu'ils manquent de personnel…

— Je veux bien, mais après ce qui t'est arrivé la dernière fois…

— Je ne pense pas que cet homme ait sciemment voulu me faire du mal, maman. Et il est interdit de séjour au centre. Il est probablement dans un des asiles de nuit. De toute façon, je ne serai pas seule. Billy m'accompagnera.

Ma mère commence à se laisser fléchir. Elle a beau se métamorphoser en lionne quand il s'agit de me protéger, elle n'a pas un cœur de pierre. Et comme tout le monde, elle a confiance en Billy qu'elle aime et qu'elle respecte.

— Billy m'a dit qu'on rentrerait peut-être tard.

— Mais tu as de l'école demain.

— Je sais. Mais j'ai étude en première heure. Et de toute façon, on ne fait plus grand-chose. La plupart de mes profs nous font réviser ou ne donnent plus de cours pour qu'on puisse finir nos projets ou nos essais, et j'ai déjà rendu tous mes travaux.

À partir de vendredi matin, l'école sera fermée pendant les deux semaines de vacances de Noël.

— Allez, maman. C'est pour une bonne cause. Il fait froid ce soir. Et il ne s'agit que d'aider des gens à ne pas geler.

— Et toi? Tu ne gèleras pas? Et comment vas-tu rentrer?

— Je serai à bord d'une fourgonnette, maman.

Elle ne semble pas convaincue.

— Je vais m'habiller comme il faut, je te le promets. Et quand ce sera fini, je sauterai dans un autobus pour me rendre chez papa. Ce n'est pas loin du refuge.

Mon père habite au centre-ville, tandis que ma mère vit dans un quartier résidentiel plus en périphérie.

Finalement, après avoir vérifié par deux fois que j'emporte une seconde paire de mitaines et m'avoir fait jurer de garder ma tuque sur la tête, elle me laisse partir.

Monsieur Donovan vient à notre rencontre quand nous entrons.

— Ton aide est vraiment précieuse, Robyn. Tu n'imagines pas à quel point nous sommes occupés, les nuits comme celle-là.

Je balaie les lieux du regard, surprise de voir autant de personnes déjà installées sur des matelas de mousse et des lits de camp.

— Les habitués savent qu'en cas de grand froid, on reste ouvert toute la nuit, et ils viennent de leur propre chef, m'explique monsieur Donovan. Mais il y en a beaucoup d'autres dehors qui l'ignorent ou qu'il faut persuader de venir. Il s'agit de les repérer pour leur dire que l'accueil est ouvert et de les ramener ici – s'ils acceptent de venir. Nous avons un grand territoire à couvrir. Vous ferez tous les deux équipe avec Eileen. Billy te la présentera, Robyn – je crois qu'Eileen est à la cuisine – et t'expliquera ce que tu auras à faire. D'accord, Billy ?

Billy m'a déjà tout expliqué pendant le trajet. Il y a des gens, m'a-t-il dit, qui préfèrent rester dehors par tous les temps. Ils n'aiment pas ou ne tolèrent pas la promiscuité ou le bruit dans les asiles de nuit, ou encore ils craignent de se faire piquer le peu qu'ils possèdent. Nous allons essayer de convaincre tout le monde de se réfugier au centre, mais on ne peut forcer personne. À ceux qui insistent pour rester dehors, on distribuera de la soupe chaude et du thé ainsi qu'un sac de couchage supplémentaire pour qu'ils puissent passer la nuit sans encombre.

Billy m'a également précisé qu'une équipe est affectée à chacune des deux fourgonnettes du refuge – un travailleur social détenant la formation médicale nécessaire pour déterminer si quelqu'un doit être sorti de la rue ou emmené à l'hôpital, et deux bénévoles chargés de distribuer du thé, de la soupe, des vêtements chauds et des sacs de couchage.

Nous prenons la direction de la cuisine.

Billy a à peine poussé la porte que j'aperçois Ben, occupé à ranger des contenants de soupe chaude dans des boîtes isolantes. Betty s'active à ses côtés, remplissant thermos après thermos de thé sucré au lait. Une autre bénévole s'affaire à remplir des boîtes en carton de sandwichs enveloppés dans du papier d'aluminium. Ben lève la tête à notre entrée et salue chaleureusement Billy. Il ne m'adresse pas la parole et je lui rends la pareille. Billy demande à Betty où trouver Eileen. D'un signe de tête, elle désigne la porte du fond. Nous sortons sur le terrain de stationnement situé derrière l'église. Une jeune femme mince à l'air sérieux, coiffée d'un chapeau à oreilles de style tibétain, les mains protégées par les mitaines les plus épaisses que j'aie jamais vues, est en train d'empiler des sacs de couchage à l'arrière d'une fourgonnette. Eileen. Billy fait les présentations et lui demande ce que nous pouvons faire pour l'aider. Elle nous renvoie en cuisine chercher la soupe et le thé que nous chargeons dans le véhicule.

— Nous sommes parés, je pense. En voiture ! déclare-t-elle dix minutes plus tard.

Ses paroles se dissipent aussitôt en volutes de vapeur dans l'air glacé.

Nous grimpons tous les trois dans la fourgonnette. On nous a attribué le secteur ouest du centre-ville. Eileen et Billy savent exactement où chercher. Nous dénichons des gens emmitouflés sous des piles de couvertures et de vieux sacs de couchage crasseux, couchés sur les bouches d'aération du métro, dans des abribus, dans des ruelles sombres et dans l'entrée d'immeubles de bureaux et de magasins. Chaque fois que nous repérons quelqu'un, Eileen gare le véhicule, descend et demande à la personne si elle désire qu'on la conduise à l'accueil. La plupart sont des hommes, mais nous tombons sur quelques femmes, deux ou trois couples et même deux itinérants accompagnés de chiens.

Quand la personne insiste pour rester dehors, nous lui donnons un sac de couchage et de la nourriture chaude. Eileen prend note de l'endroit où nous l'avons trouvée et promet à tous ceux qui préfèrent passer la nuit dans la rue que nous allons repasser plus tard vérifier si tout va bien. Elle escorte ceux qui acceptent de rentrer à l'accueil jusqu'à la fourgonnette où nous leur distribuons de quoi se restaurer, puis nous recommençons à patrouiller jusqu'au prochain arrêt. Quand la fourgonnette est pleine, nous ramenons tout le monde à l'accueil.

Dans le vestibule, Billy et moi attendons Eileen qui a accompagné nos passagers à l'intérieur pour les aider à s'installer. Une autre fourgonnette arrive et Ben en descend. Je l'ignore et il ne manifeste aucune intention de me parler, ce qui me convient parfaitement. Eileen revient vers nous et nous repartons en tournée.

Les trois premières personnes que nous repérons refusent de se rendre à l'accueil. Eileen tente de les faire changer d'avis. Elle les prévient que la température va encore chuter et explique ce qui risque de leur arriver s'ils restent dehors. Quand elle se retrouve à court d'arguments, elle me fait signe et nous veillons à ce que chacun ait une boisson chaude et de la nourriture, ainsi qu'un sac de couchage neuf et propre pour se protéger du froid. Vers minuit, nous avons pratiquement distribué tout ce que nous avions emporté et avons ramené plus de quinze personnes au centre.

— J'aimerais faire une dernière ronde avant d'arrêter pour la nuit et de passer le relais à une autre équipe, propose Eileen. Tout le monde est d'accord ?

Billy et moi approuvons. J'appelle mon père pour le prévenir.

— Tu risques d'être fatiguée demain, Robbie, me dit mon père. Appelle-moi dès que tu auras fini et j'irai te chercher.

Nous amorçons un autre circuit, l'œil aux aguets à la recherche des tas de couvertures et de sacs de couchage signalant la présence d'un sans-abri. Nous roulons longtemps sans repérer personne.

— Là-bas ! s'exclame soudain Eileen en désignant un abribus juste en face de nous.

— Là ! s'écrie Billy presque en même temps en pointant une forme allongée dans l'entrée d'un immeuble. Eileen gare le véhicule.

— Je vais à l'abribus, dit Eileen. Vous deux, allez voir dans ce renfoncement.

Billy attend que je descende et nous traversons la rue en direction de l'entrée de l'immeuble.

La forme humaine – je suis incapable de distinguer s'il s'agit de celle d'un homme ou d'une femme – est allongée sur deux vieux sacs de couchage, protégée par une mince couverture usée. Je me demande pourquoi, par un froid pareil, cette personne n'a pas pris la peine de s'emmitoufler dans ses sacs de couchage. Je frissonne quand une bourrasque d'air arctique balaie de vieux journaux. Un gobelet de carton et des emballages de restauration rapide s'envolent sur la chaussée. *Cling ! Cling ! Cling !* Poussée par le vent, une bouteille vide roule depuis l'entrée de la ruelle adjacente pour finir sa course à mes pieds. Je jette un coup d'œil sur l'étiquette. Une bouteille d'alcool.

Billy baisse les yeux vers la forme étendue.

— Il vaudrait mieux le réveiller, dit-il. C'est le seul moyen de vérifier si tout va bien.

Il se baisse. Je l'agrippe aussitôt par le bras.

— Attends, Billy !

Jusqu'ici, tous ceux que nous avons abordés étaient éveillés ou se sont mis à bouger à notre approche. Mais pas cette personne. Celle-ci semble dormir à poings fermés. Que se passera-t-il si Billy la secoue et la réveille en sursaut ? Ou pire encore, si cette personne fait semblant de dormir ? Bien des sans-abri souffrent de maladie mentale. C'est parfois pour cette raison qu'ils ont échoué dans la rue. À moins que ce soit la vie dans la rue qui leur ait fait perdre la raison. Et si cette personne réagissait de manière agressive ? La scène de ma rencontre avec monsieur Duffy dans la cave de l'accueil, me revient en mémoire.

— Il faut que je le réveille, Robyn, me dit Billy. Ne t'inquiète pas. Ce n'est pas la première fois.

Je recule de quelques pas par mesure de sécurité et regarde Billy se pencher et poser la main sur ce qui me semble être une épaule, qu'il secoue gentiment.

— Hé, ho ! Il y a quelqu'un ?

Pas de réponse.

Je m'approche de Billy. La personne n'a pas bronché. Billy tire un peu la couverture pour dégager le visage du dormeur. J'aperçois une barbe hirsute. L'homme est couché sur le flanc, le visage pressé contre la porte. Billy le secoue encore, cette fois plus vigoureusement. L'homme retombe sur le dos. C'est monsieur Duffy, mais ses yeux demeurent fermés.

Billy me consulte du regard. Puis il se remet à secouer l'homme, encore plus fort.

— Monsieur Duffy ! Réveillez-vous. Nous avons du thé chaud pour vous !

Il y a quelque chose de bizarre dans l'attitude de l'homme. Il reste immobile. Trop immobile. Mon haleine et celle de Billy se condensent en petits nuages de vapeur, mais je ne vois rien de tel devant le visage de monsieur Duffy. Je m'accroupis à côté de Billy, toutes mes craintes envolées, et dénoue l'écharpe raide de graisse et de crasse enroulée autour de son cou. La mine sombre, Billy me regarde ôter ma mitaine et poser l'extrémité de mes doigts sur la base du cou pour repérer des pulsations.

Je me tourne vers lui.

— Il vaudrait mieux appeler Eileen.

Eileen fait le même geste que moi : elle cherche à détecter le pouls de monsieur Duffy, puis sort un téléphone cellulaire et compose le 911 pour qu'on envoie une ambulance.

— Est-il ?... commence Billy.

— Je ne suis pas médecin, le coupe Eileen, l'air préoccupé. J'appelle le 911. C'est la marche à suivre.

Elle nous ordonne de regagner la fourgonnette, mais je n'arrive pas à m'y résoudre. Je ne cesse de consulter ma montre, espérant que les ambulanciers fassent vite. Peut-être y a-t-il encore de l'espoir. Peut-être pourront-ils faire quelque chose.

L'ambulance finit par arriver. Une voiture de police se pointe elle aussi. Après que les ambulanciers ont examiné monsieur Duffy et communiqué avec l'hôpital, son décès est constaté. Les policiers appellent le coroner. Billy tourne les talons et regagne la fourgonnette, où il reste assis, la tête légèrement baissée, jusqu'à ce qu'Eileen revienne le chercher pour que les policiers puissent lui parler. Ils nous interrogent à tour de rôle. Ils me demandent de leur dire tout ce que je sais sur monsieur Duffy, ce qui se résume à pas grand-chose. Ils me demandent à deux reprises de préciser le moment exact où nous l'avons repéré, ce que nous avons fait une fois à proximité de lui, ce que nous avons touché et la position de nos pieds. Ils posent à Billy les mêmes questions.

— Et que va-t-il se passer à présent ? demande Billy à l'un des agents.

— Le coroner va probablement ordonner une autopsie afin de déterminer la cause du décès. Personnellement, j'espère qu'il conclura à une mort naturelle. Il avait peut-être des problèmes de santé ou il a succombé à une crise cardiaque. Je déteste l'idée que ce pauvre gars soit mort de froid.

Il nous adresse un regard empreint de sympathie et referme son calepin.

— C'est fantastique ce que vous faites, les jeunes, ajoute-t-il. S'il y avait plus de gens comme vous, le monde s'en porterait bien mieux.

— S'il y avait davantage de logements à prix modique et de ressources pour aider des gens comme monsieur Duffy, le monde n'aurait pas besoin de gens comme nous, réplique Eileen.

Le flic ne discute pas.

Lorsque les policiers s'en vont, il est près de deux heures du matin. Pendant le trajet de retour jusqu'au refuge, je téléphone à mon père.

— Robbie, j'allais t'appeler, me dit-il. Je commençais à me faire du souci.

Je lui raconte ce qui s'est passé.

— J'arrive dès que possible.

Quand nous regagnons le centre, tout le monde semble déjà au courant. Eileen et monsieur Donovan disparaissent ensemble dans le bureau. Je vois Billy parler à Ben. Celui-ci me décoche un coup d'œil, le visage fermé. Mon estomac se noue quand je les vois venir vers moi.

— Je n'arrive pas à y croire, déclare Billy. Monsieur Duffy est pratiquement la première personne que j'ai rencontrée quand j'ai commencé à faire du bénévolat ici. Je le voyais presque à chaque fois que je venais.

Ben me fusille du regard.

— Si tu n'avais rien dit, monsieur Donovan ne lui aurait pas interdit l'accès du centre. Monsieur Duffy serait venu ici de lui-même dès qu'il aurait senti la température chuter. On n'aurait pas eu à le chercher. Et de toute évidence, on ne l'aurait pas trouvé sans vie.

Je le dévisage, piquée par ses paroles. Aurait-il raison? Suis-je à blâmer?

— Hé! s'interpose Billy. Robyn n'y est pour rien. Nous ne savons même pas de quoi il est mort. C'est peut-être une cause naturelle. À moins qu'il ait eu une maladie préexistante. Tu sais aussi bien que moi que les gens qui vivent dans la rue souffrent de toutes sortes de problèmes de santé.

J'espère de tout mon cœur que Billy ait raison.

— Ben voyons! rétorque Ben. C'est la nuit la plus froide de l'année – au point que la municipalité a émis un avertissement de froid intense – et on le retrouve mort, couché sous une malheureuse couverture! Mort naturelle, tu parles!

— Il aurait pu aller passer la nuit ailleurs, dis-je. Il existe d'autres refuges…

— Il n'était pas à l'aise dans la plupart des asiles de nuit, réplique Ben. Mais il aimait venir ici. Il s'y sentait en sécurité. Je l'avais pourtant bien dit à monsieur Donovan.

Première nouvelle.

Une Porsche à la carrosserie noire et lustrée se gare devant l'accueil. Je réponds au coup de klaxon par un signe de la main. Je vois Ben hausser un sourcil tandis que son regard passe de la voiture à ma personne. Je sens ses yeux posés sur moi, mais refuse de croiser son regard. J'attrape la main de Billy et nous dévalons les marches pour monter dans l'automobile de mon père.

5

— Regarde qui est là, me dit le lendemain Morgan en me poussant du coude.

Nos cours terminés, nous descendons l'escalier en direction de la sortie.

Elle me montre en souriant le bas des marches. Ben est adossé contre le mur, dans le renfoncement de l'entrée principale.

— Il est vraiment mignon. Vous feriez un beau couple, tous les deux.

— Il me déteste, Morgan. Il m'a pratiquement accusée d'avoir tué un sans-abri.

— Je sais, mais c'est une idée ridicule. Il vient probablement te présenter ses excuses. Salut, Ben !

Elle lui fait signe de la main.

Ben lui répond par un hochement de tête, sans toutefois me quitter des yeux. Morgan me donne un autre coup de coude dans les côtes.

— Si je me retrouve avec un bleu, Morgan, tu vas le regretter !

— Tu vois bien comment il te regarde, chuchote-t-elle. Tu l'intéresses, j'en suis certaine.

Elle m'adresse un autre sourire.

— Je te laisse, ajoute-t-elle en faisant demi-tour pour gagner une rangée de casiers au fond du couloir, où elle se met à tripoter le cadenas d'un casier qui n'est pas le sien.

Ben ne bouge pas d'un pouce. Il me dévisage sans dire un mot.

— Qu'est-ce que tu veux?

La fixité de son regard me flanque la chair de poule.

— Monsieur Duffy n'est pas mort de cause naturelle. Ce n'était ni une crise cardiaque, ni une attaque, ni rien de ce genre.

À première vue, on pourrait le croire parfaitement calme. Il faut y regarder de plus près pour remarquer qu'il tremble comme une feuille et que s'il semble calme, c'est parce qu'il fait tout pour réprimer ce tremblement. J'ai comme un pressentiment.

— Et de quoi est-il mort? dis-je en sachant déjà quelle sera la réponse.

— Hypothermie.

Je sens une nausée me gagner.

— C'est terrible. J'en suis navrée.

— Tu as de bonnes raisons de l'être.

Il rejette la faute sur moi. Il m'accuse carrément d'en être responsable.

— Je suis certaine que tous ceux qui le connaissent sont navrés, Ben.

— Exact, réplique-t-il. Mais ce n'est pas de leur faute à eux s'il est mort comme il est mort. Si tu n'avais pas bavassé à monsieur Donovan…

— Je suis désolée. Mais j'étais en colère. Il m'a fait peur, et je saignais.

Je touche du doigt le vilain pansement que j'ai près de l'oreille.

— J'ai dit à monsieur Donovan que je ne pensais pas qu'il l'avait fait exprès. Je n'ai jamais voulu qu'il lui arrive quoi que ce soit.

— Je regrette que tu sois venue au centre, réplique Ben. Sans toi, jamais une chose pareille ne serait arrivée.

— Je suis désolée. Vraiment désolée.

Ben me dévisage encore un long moment avant de tourner les talons pour s'éloigner.

Morgan vient me rejoindre.

— Ça n'a pas l'air de s'être bien passé, hein ?

— Penses-tu que j'aie mal agi ?

C'est à mon père que je pose la question quand je le retrouve chez lui un peu plus tard.

Il me regarde, tout étonné.

— Pourquoi ? C'est ce que toi, tu penses ?

— Eh bien, cet homme était un sans-abri.

— Ce n'est guère de ta faute, Robbie.

— Mais si je n'étais pas allée raconter à monsieur Donovan que…

— Je comprends ce que tu ressens, Robbie. C'est un drame qu'il soit mort de froid. C'est une tragédie qu'on puisse mourir ainsi à notre époque, surtout dans une grande ville comme la nôtre. Mais j'ai comme l'impression qu'outre le fait de vivre dans la rue, il avait d'autres problèmes.

— Je sais.

Mais je ne parviens pas à oublier les paroles de Ben ni le regard qu'il m'a lancé.

— Mais s'il n'avait pas été exclu du centre d'accueil, il serait peut-être encore en vie.

— S'il ne s'en était pas pris à toi, il aurait agressé quelqu'un d'autre. Si un autre bénévole avait été présent dans la cuisine quand il s'est faufilé dans la cave, il aurait probablement agi de la même manière avec lui qu'avec toi. Tu as eu de la chance de t'en tirer sans grand dommage, Robbie. Et cela aurait pu facilement arriver à n'importe qui d'autre.

— N'importe qui d'autre s'y serait pris mieux que moi.

Mon père me regarde un instant.

— On peut tout imaginer avec des si, Robbie. Mais ça ne change rien. Tout ce que tu as fait, c'est de répondre franchement aux questions de monsieur Donovan. Ce qui s'est passé ensuite n'était pas de ton ressort. Tu ignorais ce qu'il allait faire. Et tu ne pouvais sûrement pas savoir que cet homme allait passer dehors la nuit la plus froide de l'année, au lieu d'aller se mettre à l'abri dans un refuge. Si je ne m'abuse, il vivait dans la rue depuis déjà pas mal de temps. Il devait connaître tous les asiles de nuit de la ville. Il devait être au courant qu'il existait d'autres endroits où aller.

Je sais que mon père essaie de me remonter le moral. Je sais même que presque tout ce qu'il me dit est vrai. Mais cela ne m'aide en rien. Je m'en veux terriblement.

— C'est épouvantable que ce vieil homme soit mort de froid, me dit Morgan quand je l'appelle plus tard. Mais ce n'est pas exactement une première. Cela arrive tous les ans.

— Je sais. Mais tout le monde pense que c'est de ma faute.

— Tout le monde ?

— Eh bien, Ben le pense. Et cela ne me surprendrait pas que Billy partage son avis.

La ligne reste un instant silencieuse. De mieux en mieux.

— Il le pense, hein, Morgan ? Billy rejette la faute sur moi.

— Billy est quelqu'un qui ne juge pas, Robyn.

C'est vrai.

— Mais jamais il n'irait dénoncer quelqu'un qui vit dans la rue.

— Voyons, Robyn. Tu connais Billy. Il aurait probablement donné à ce type tout l'argent qu'il avait sur lui pour acheter de quoi manger, s'il l'avait cru assez affamé pour voler. Mais si ça peut te consoler, moi, à ta place, j'aurais porté plainte.

J'adore Morgan. C'est ma meilleure amie. Mais je ne sais pas pourquoi, ses paroles ne me sont d'aucun réconfort.

— Je te laisse, Morgan. Il faut que j'appelle Billy. J'ai besoin du numéro de Ben.

Lorsque Ben accepte de me rencontrer, il semble au bout du fil aussi enthousiaste que s'il prenait rendez-vous pour un traitement de canal. Plus tard dans la soirée, je le retrouve dans le café qu'il m'a indiqué. Je m'assois en face de lui.

— Les médias en ont parlé, commence-t-il en me gratifiant d'un regard acerbe. Tu as vu les infos ?

Je n'ai rien vu.

— *Un sans-abri retrouvé mort de froid. Le premier cet hiver.*

Il parle avec colère.

— Sais-tu combien de sans-abri sont morts de froid l'hiver dernier ?

Il me regarde d'un air dégoûté quand je lui réponds que je l'ignore.

— Quatre. Et l'hiver précédent, il y en a eu trois. Mais tout le monde s'en fiche.

— Je ne dirais pas ça…

— Et tu sais ce qu'il y a de pire dans cette histoire ? Le pire, c'est que personne ne sait qui il est – qui il était, plutôt.

— Que veux-tu dire ?

— Tout ce qu'on sait de lui, c'est qu'il s'appelait Duffy et personne ne pourrait jurer que c'était son vrai nom.

— Voyons, les gens doivent en savoir plus que ça. Quelqu'un doit bien savoir qui il est et d'où il vient. Il devait bien avoir des papiers d'identité.

Ben secoue la tête.

— Monsieur Donovan dit que les policiers n'ont rien trouvé. Tout ce qu'il avait sur lui, c'étaient deux livres de poche, un paquet de serviettes en papier et des petits sachets de ketchup. Les policiers ont interrogé des gens, mais personne ne sait quoi que ce soit sur lui. Personne ne sait d'où il venait ni dans quelles circonstances il avait atterri dans la rue. Personne ne connaît même son prénom. Monsieur Donovan dit que les policiers ont pris ses empreintes digitales à la morgue pour tenter de l'identifier. Mais ils ont fait chou blanc. Tu sais ce que cela veut dire ? Cela signifie qu'il aura droit aux obsèques minables payées par la municipalité. Il n'aura même pas droit à une pierre tombale. Ils ne sauraient pas quel nom graver dessus. Un autre sur la liste des sans-abri anonymes qui prennent un coup de trop et meurent de froid.

— Il avait pris un coup ?

— C'est ce qu'ils ont dit aux nouvelles. Qu'il avait bu. Ils pensent qu'il était ivre mort et que c'est pour cette raison qu'il est mort d'hypothermie.

— Oh !

Je repense à la bouteille d'alcool que j'ai vue sur le trottoir tout près de l'endroit où nous avons trouvé monsieur Duffy.

Ben braque aussitôt ses yeux sur moi.

— Ça veut dire quoi, ce « oh » ?

— Rien.

— Je sais parfaitement ce que tu penses, fait Ben. Quand les gens voient des sans-abri comme monsieur Duffy boire ou fumer une cigarette, ils voient ça comme un crime. Ils estiment que si les itinérants s'abstenaient de boire ou de fumer, ils auraient probablement les moyens de se payer de quoi manger ou se loger. Eh bien, ça ne se passe pas comme ça. Ils ont échoué dans la rue parce qu'ils sont malades ou qu'ils ont touché le fond et ne parviennent pas à remonter la pente. Parfois, boire et fumer sont les seuls plaisirs qu'ils peuvent avoir dans la vie. Ce n'est pas un crime. Et de toute façon, monsieur Duffy essayait d'arrêter la boisson. Monsieur Donovan me l'a dit.

« Dommage qu'il n'ait pas réussi », me dis-je.

Ben secoue la tête avec impatience.

— Quand j'ai appris que tu étais l'amie de Billy, j'ai cru m'être trompé sur ton compte. Mais ma première impression était la bonne. Si on creuse un peu, tu fais partie de ceux qui pensent qu'une personne comme monsieur Duffy ne mérite pas dans la vie les mêmes choses que toi.

— Ce n'est pas vrai ! Je t'ai appelé parce que je m'en veux de ce qui s'est passé et parce que j'aimerais pouvoir faire quelque chose. N'importe quoi.

— C'est ça, répond-il.

— Je suis sincère, Ben.

Il me dévisage d'un œil critique.

— Vraiment? fait-il. N'importe quoi?

En arrivant à proximité de chez mon père, je vois Tara, sa jeune amie, sortir de l'immeuble et sauter dans un taxi. Je me demande quel rôle elle joue dans la vie de mon père. Depuis la séparation, celui-ci a toujours agi comme si lui et ma mère allaient un jour reprendre la vie commune – ce qui ne s'est jamais produit. Il a eu l'air de tomber des nues quand ma mère a fini par demander le divorce. Mais à ma connaissance, il ne s'est jamais engagé depuis dans une relation durable avec une femme. Ma mère, en revanche, fréquente quelqu'un – Ted, qui vient de la demander en mariage. Ma mère n'a pas dit oui, mais elle n'a pas dit non pour autant, et j'ai bien l'impression qu'elle et son copain se sont encore rapprochés. Mon père aurait-il fini par comprendre? Aurait-il enfin décidé de passer à autre chose?

Je le trouve juché sur un tabouret dans sa cuisine, en train de siroter un café tout en lisant le journal. Il lève la tête quand je franchis le seuil.

— Robbie? Où étais-tu donc passée?

— Je devais voir quelqu'un.

— J'ai quelque chose pour toi.

Il glisse en bas du tabouret, passe dans le séjour, ramasse un document posé sur la table à café et me le rapporte.

J'examine la page couverture. *Rapport d'autopsie.*
Nom de famille: Duffy. Prénom: inconnu. Date de
naissance: inconnue. Âge: entre 60 et 65 ans.

— Qui t'a donné ça, papa?

— La pathologiste. Elle me l'a télécopié à ma demande.

— Elle?

Mon père sourit.

— Une «elle» charmante, d'ailleurs.

Il me reprend le rapport des mains.

— Ce que ça dit, fondamentalement, c'est que ton monsieur Duffy n'était pas en bonne santé.

Il fait courir son doigt au bas d'une page.

— Il a subi dans sa vie un grave traumatisme crânien, ce qui pourrait en partie expliquer pourquoi il vivait dans la rue. Il a également subi de graves lésions au visage. Serena dit qu'il ne devait pas voir grand-chose de l'œil gauche.

— Serena?

— La pathologiste. Et écoute bien ça, Robbie, cet homme avait ingéré une énorme quantité d'alcool avant de mourir.

— Je le savais déjà, papa.

— Ah oui?

— Ben me l'a dit.

— Quelqu'un lui a peut-être offert l'occasion de trinquer avant Noël. À moins qu'il ait empoché suffisamment en mendiant pour s'offrir une bouteille. Il y a des gens qui croient que l'alcool vous réchauffe par grand froid. Ils ne se rendent pas compte des risques qu'ils encourent.

— Espères-tu me remonter le moral, papa ? Parce que ça a exactement l'effet inverse.

— Je veux seulement te dire que s'il a absorbé la quantité d'alcool dont parle Serena, il a probablement perdu connaissance. Chose qui aurait tout aussi bien pu se passer même s'il n'avait pas été expulsé de ton centre d'accueil. Quand on boit autant, Robbie, on perd la capacité de penser. On n'est plus en mesure de faire ce qui tombe sous le sens. Tu m'as bien dit que vous l'aviez trouvé allongé par-dessus deux sacs de couchage, hein ? Il ne s'était pas glissé à l'intérieur et ne s'en était pas non plus recouvert. Cela me donne l'impression qu'il était ivre mort avant d'avoir pu prendre les précautions élémentaires pour se protéger du froid. Tu n'y es pour rien, Robbie. Il y a de fortes chances que ce qui est arrivé se serait produit, quelles que soient les circonstances.

Il a peut-être raison. Mais je ne parviens pas à m'ôter de la cervelle l'idée que Ben n'a pas tort. Si je n'avais rien dit à monsieur Donovan, la nuit se serait déroulée autrement pour ce pauvre homme. Peut-être aurait-il dormi à l'accueil. Il n'aurait pas tenté de se réchauffer en buvant de l'alcool. Peut-être serait-il encore en vie.

— Personne ne sait quoi que ce soit sur lui, papa. Selon Ben, on ne sait même pas s'il s'appelait réellement Duffy. On ignore ce qu'il lui est arrivé et s'il avait de la famille. Ben dit qu'il sera enterré aux frais de la municipalité et il trouve ça désolant.

— Mais cet homme aura au moins des obsèques et un enterrement, observe mon père.

— Mais sans avoir son nom au complet sur sa tombe. Ben m'a dit que monsieur Duffy n'avait sur lui aucun papier – ni certificat de naissance, ni carte d'assurance-maladie, ni carte d'assurance sociale. Pas de passeport. Pas de carte bancaire. Pas de vieilles lettres ni de vieilles factures. Pas même une carte de bibliothèque. Comment est-ce possible, papa? Tout le monde possède au moins quelque chose permettant de l'identifier.

Mon père hausse les épaules.

— Peut-être les avait-il tous perdus. À moins qu'on les lui ait volés. Ou peut-être a-t-il planqué tous ses objets de valeur quelque part pour ne pas se les faire piquer. La vie peut être cruelle, dans la rue.

— Ce qu'il y a, c'est que Ben veut faire quelque chose pour monsieur Duffy. Il ne veut pas qu'il finisse comme un autre sans-abri anonyme retrouvé mort de froid. Il aimerait en savoir plus sur lui de manière à organiser un service funèbre en sa mémoire.

Ben avait l'air si sincère lorsqu'il m'a confié ses intentions. Et il avait la conviction que je m'en fichais pas mal. Mais il se trompait. D'accord, le sentiment de culpabilité y était peut-être pour quelque chose lorsque je lui ai offert de l'aider. Mais plus j'y pense et plus je trouve que c'est la chose à faire.

Mon père hausse un sourcil.

— On dirait que tu te préoccupes beaucoup de ce que pense ce Ben.

Ouais, c'est ça. Et puis quoi, encore!

— Ben n'a rien à voir là-dedans, papa. C'est à monsieur Duffy que je pense. J'aimerais faire quelque chose, mais je ne sais pas par où commencer. La police a essayé de l'identifier par ses empreintes digitales, mais elle n'a rien trouvé.

— Cela veut tout simplement dire que cet homme n'avait pas d'antécédents criminels.

Je repense à mes mésaventures avec monsieur Duffy. Il se montrait si agressif que j'ai du mal à croire qu'il n'ait jamais eu d'ennuis avec la justice.

— Et son dossier dentaire? Peuvent-ils s'en servir?

— Le dossier dentaire n'est utile que si on a déjà une idée de l'identité de la personne, répond mon père. Sinon, comment savoir auprès de qui, parmi les centaines de dentistes que compte littéralement la ville, il faut aller vérifier? Et cela, à supposer que monsieur Duffy soit originaire d'ici ou qu'il se soit fait traiter par un dentiste depuis qu'il vit ici, ce qui, d'après le rapport de Serena, semble douteux.

— Mais il doit bien exister quelqu'un qui sache quelque chose permettant de l'identifier, non?

Je veux une réponse positive.

— Pas nécessairement, répond mon père.

— Génial! Si je comprends bien, je viens de me porter volontaire pour une mission impossible.

— Pourquoi dis-tu ça?

— Parce que si la police est incapable de trouver...

— Cet homme est mort d'hypothermie, Robbie. Pour la police, il s'agit d'un décès accidentel, qui ne résulte pas d'un acte criminel. Ils ont fait ce qu'ils ont pu pour tenter de l'identifier, mais ce n'est pas une priorité pour eux et aucun crime n'a été commis. Quant à parler de mission impossible, je trouve ta conclusion prématurée.

— Tu veux dire qu'il y a forcément un moyen de découvrir qui il était ?

— Je ne dirais pas nécessairement ça non plus.

— Que dirais-tu, alors ?

— Si j'étais à ta place, Robbie, et si quelqu'un faisait appel à mes services pour identifier cet homme, sais-tu comment je m'y prendrais ?

Je secoue la tête.

— J'irais parler aux gens.

— Mais Ben dit que…

— Cet homme vivait dans cette ville. Il entrait en relation avec d'autres personnes. C'était un habitué de l'accueil de jour et probablement d'autres refuges pour sans-abri ou d'autres soupes populaires du centre-ville.

— Mais si personne au centre ne sait quoi que ce soit à son sujet…

— Ah oui ? fait mon père. Parce que tu as interrogé tout le personnel et tous les habitués ?

— Euh… non, mais…

— Monsieur Untel peut savoir un petit truc. Madame Unetelle aura appris autre chose…

— Je devrais donc parler aux gens du centre, c'est ça ?

— Tu pourrais commencer par là. Et couvrir également le territoire de monsieur Duffy.

— Son territoire ?

—Généralement, les itinérants s'approprient un secteur qu'ils considèrent comme leur fief. Ils s'y postent jour après jour. Et il y a bien des chances que des gens passent quotidiennement dans le coin, en allant au travail ou en en revenant, par exemple. Certains peuvent avoir déjà jeté de la monnaie dans le chapeau de monsieur Duffy. Il y a des personnes qui s'en font une routine, Robbie – une pièce de un, deux dollars chaque jour.

—Tu crois que certaines de ces personnes auraient pu parler avec monsieur Duffy?

—Ça vaut la peine de vérifier. Autre chose, Robbie. Ce n'est pas parce que monsieur Duffy n'avait pas de domicile fixe qu'il n'était pas en contact régulier avec des gens – une foule de gens. Il devait bien se procurer ses vêtements quelque part, non?

—Peut-être dans des friperies ou ces magasins d'occasion gérés par des œuvres charitables.

Mon père sourit.

—Et je doute fort qu'il ait passé tous ses temps libres à l'accueil de jour, ajoute-t-il. S'il quêtait, il devait avoir de l'argent de temps en temps, qu'il dépensait probablement en nourriture ou en boisson, peut-être en articles de toilette.

—Je pourrais enquêter dans les magasins et les restaurants du coin.

La tâche commence à me paraître colossale.

—Avait-il quelque chose sur lui quand on l'a trouvé? s'enquiert mon père. Avait-il des objets avec lui ? Certains sans-abri trimballent leurs possessions dans des sacs ou un chariot.

Je repense à la nuit où nous avons découvert monsieur Duffy et à ce que m'a raconté Ben dans ce café.

— Je n'ai vu que ces deux sacs de couchage et la vieille couverture. Je ne me souviens pas d'avoir vu des sacs ou un chariot. Selon ce que monsieur Donovan a dit à Ben, monsieur Duffy n'avait sur lui que deux romans en format de poche, quelques serviettes en papier et des sachets de ketchup.

— Pas de bouteille d'alcool ?

Je dois me creuser la cervelle un peu.

— J'ai vu rouler une bouteille vide à proximité.

— Te souviens-tu de ce que c'était ?

— Oui. Ce truc Napoléon que Vern et toi aimez boire.

— Du cognac ? s'exclame mon père, surpris. Ce n'est pourtant pas un alcool qu'un sans-abri a les moyens de s'offrir. Mais va savoir.

— Ce n'était peut-être pas sa bouteille.

— Tu as probablement raison. Mais ces bouquins, par contre, ça vaut la peine d'aller y voir.

— Tu veux dire que je pourrais chercher d'où ils proviennent ?

— Ou vérifier s'il n'y a rien de glissé entre les pages.

— Et ces serviettes en papier et ces sachets de ketchup ? Peut-être y a-t-il un logo imprimé dessus ?

— Bien pensé, Robbie, répond mon père, visiblement fier de moi. On peut aussi se demander où il allait traîner quand il n'était pas au refuge. Dans un parc? Une bibliothèque publique?

— Ou dans un stationnement souterrain. Billy m'a dit que bien des sans-abri s'introduisent en douce dans les garages pour rester au chaud.

— Y a-t-il une clinique sans rendez-vous dans le quartier?

— Je peux vérifier.

Mais je vais avoir besoin d'aide, c'est sûr et certain.

— On dirait bien que tu fais souvent ce genre d'enquête, papa.

— Souvent, je ne sais pas. Mais cela m'arrive d'en faire.

Je le regarde avec un respect renouvelé.

— Et ça te plaît?

— J'aime les casse-tête, Robbie, répond-il avec un sourire. Parce que c'est exactement de ça qu'il s'agit. D'un gigantesque *puzzle*. Avant de pouvoir commencer à résoudre le problème, tu dois avoir en main tous les éléments du casse-tête.

Son expression devient soudain plus grave.

— Qu'est-ce qu'il y a, papa? Un problème?

Il hésite.

— Je suis tombé sur Ed Jarvis aujourd'hui, finit-il par répondre.

Ed Jarvis a été l'agent de probation de Nick.

Je sens mon cœur battre plus vite.

— Sait-il où est Nick? S'il va bien?

— Il ne savait même pas que Nick était parti.

«Oh!»

— Il ne lui a pas parlé, alors ? Il n'a aucune idée de l'endroit où il se trouve ?

J'ai l'impression que mon père a quelque chose à dire, mais il hésite encore.

— Quoi, papa ? Que t'a dit Ed ?

— Tout simplement qu'il se peut que Nick ait encore des ennuis et que c'est la raison pour laquelle il a déguerpi. Il m'a dit qu'il avait déjà vu ce genre de chose arriver : des jeunes comme Nick qui s'amendent pendant quelque temps, mais qui retombent dans leurs travers. Et quand cela arrive, ils peuvent s'éclipser pour éviter les gens qui les ont aidés. Ils ont honte d'avoir rechuté et ils ont peur de décevoir ceux qui s'intéressaient à eux.

— Tu penses que Nick a…

— Je ne sais pas quoi penser, Robbie. Je fais juste te répéter ce que m'a dit Ed, et il connaît Nick bien mieux que moi.

Je m'efforce de refouler mes larmes. Nick me manque. Je me fais du souci pour lui. J'aimerais tant savoir où il est. Mais je l'ignore et tant qu'il ne reprendra pas contact avec moi, il n'y a rien que je puisse faire.

6

— Je déteste ça, déclare Morgan à onze heures trente le lendemain.

Nous avons une double pause de midi suivie d'un cours de gym qui s'est transformé en heure d'étude à la bibliothèque parce que le prof d'éducation physique a pris un congé de maladie. Morgan, aux anges en apprenant la nouvelle, aurait voulu consacrer ce temps libre à ses achats de Noël. Je l'ai plutôt convaincue de m'accompagner jusqu'à l'accueil de jour pour m'aider à interroger les gens. J'ai demandé la même chose à Billy, mais il avait un labo de révision qu'il ne pouvait manquer.

— Comment peux-tu dire ça, Morgan ? On n'a même pas commencé.

Nous venons à l'instant de descendre de l'autobus. Morgan tient à la main un gobelet géant de café au lait. Le carburant nécessaire pour « tenir le coup », a-t-elle insisté.

— Je veux dire que je déteste que ce quartier soit aussi crasseux et aussi sinistre, dit-elle en frissonnant dans son manteau de fourrure synthétique tout en inspectant la rue dans les deux sens.

Il a neigé il y a environ une semaine et certains quartiers, comme celui de ma mère, ressemblent à des cartes de Noël – pelouses ondulant sous un manteau de neige, pins décorés de blanc… toute cette neige teintée par les reflets des guirlandes lumineuses. On ne peut en dire autant de ce coin-ci. La neige autrefois virginale est souillée par une couche de saleté et de détritus. Le spectacle n'a rien de festif.

— Je parie que tu ne grognes pas quand tu viens ici avec Billy, Morgan.

Elle secoue la tête.

— Si je grognais, Billy y verrait une critique des gens pauvres, répond-elle en poussant un soupir. Il est si gentil. Je l'adore, crois-moi. Mais il estime qu'on ne doit pas blâmer les nécessiteux si leur quartier est sale et déprimant. Mais attends un peu, ça ne coûte quand même pas grand-chose de ramasser derrière soi. J'ai raison, oui ou non ?

Elle avale la dernière gorgée de son café et cherche des yeux une corbeille à déchets. Il n'y en a pas une en vue.

— Oh ! souffle-t-elle en gardant son gobelet de carton dans sa main, ne serait-ce que pour prouver son dire. Bon, qu'est-ce qu'on fait maintenant ?

— On va parler aux gens. Et autant commencer par l'endroit le plus indiqué.

Je lui montre d'un signe de tête l'édifice où se trouve le refuge. Une poignée de fumeurs traînent près de l'entrée principale. Morgan les regarde avec appréhension.

— Et s'ils ne veulent pas nous parler ?

— S'ils ne veulent pas, tant pis.

— Et si certains étaient… tu sais.

J'attends la suite en faisant semblant d'ignorer ce qu'elle va dire.

— Tu sais… si certains étaient un peu cinglés ?

— Morgan, tu as passé plus de temps ici que moi. Pourquoi réagis-tu comme si tu avais peur de ces gens ?

— Tu n'as pas peur, toi ?

— Ce sont des sans-abri, pas des criminels.

— Alors pourquoi as-tu insisté pour que je t'accompagne ? Pourquoi n'es-tu pas venue ici toute seule ? Et, plus encore, pourquoi, si c'est si important à ses yeux, Ben n'est pas ici avec toi, plutôt que moi ? Ça vous donnerait l'occasion de mieux faire connaissance. Billy dit qu'il est sympathique quand on finit par le connaître. Et il est vraiment sexy, Robyn.

— *Primo*, c'est moi qui me suis proposée. Pas lui. *Secundo*, Ben ne m'intéresse pas.

— Mais vu que Nick a disparu…

— Je ne veux pas parler de Nick. Je veux simplement faire ce que j'ai promis de faire. Je t'ai demandé de m'accompagner parce que tu es ma meilleure amie. On doit parler à une foule de gens et à deux, on pourra couvrir le double de terrain.

— D'accord.

Elle ne semble pas convaincue et reste à la traîne tandis que nous franchissons la distance qui nous sépare du centre. Les fumeurs postés à l'entrée ne nous prêtent aucune attention.

— Excusez-moi, dis-je.

Ils m'ignorent toujours. Je m'approche du petit cercle et tapote la manche d'un des fumeurs.

— Excusez-moi, monsieur.

L'homme tourne la tête et les autres suivent son exemple. De la même taille que moi, il a les joues hérissées d'une barbe de plusieurs jours et porte un bonnet à oreillettes enfoncé jusqu'aux yeux. Il me toise d'un air mauvais sous sa visière. Ses yeux de couleurs différentes – le gauche est brun et le droit est d'un blanc laiteux – lui donnent l'air particulièrement sinistre. Il fume ce qui doit être une cigarette roulée à la main qu'il tient entre ses doigts rougis par le froid, mal protégés par des gants troués en laine grise.

— Bonjour !

J'essaie de ne pas regarder la pupille blanchâtre. L'homme ne réagit pas.

— Je me demandais si je pouvais vous poser – à vous tous – quelques questions sur monsieur Duffy.

Il gèle déjà dehors, mais on dirait que subitement, la température vient de chuter. La moitié des fumeurs baissent le nez vers le sol. Deux d'entre eux s'éloignent d'un pas traînant sur le trottoir, loin de Morgan et moi. Deux autres, dont l'homme à l'œil mort, nous dévisagent d'un air peu amène. Personne ne prononce un mot. Je me demande s'ils savent que j'ai dénoncé monsieur Duffy. Si oui, je me demande bien ce qu'ils pensent de moi. Morgan me tire par la manche, mais je ne renonce pas.

— Je suis venue pour aider Ben. Vous connaissez Ben ?

Rien. Pas le moindre signe de tête, pas la moindre lueur de compréhension dans les regards, et bien entendu, pas l'ombre d'un sourire amical.

— Ben veut organiser un service à la mémoire de monsieur Duffy. Il m'a demandé de l'aider en interrogeant les personnes qui connaissaient monsieur Duffy pour qu'il puisse parler de lui.

Les deux hommes qui me dévisageaient se détournent. Ceux qui n'étaient pas déjà partis s'éloignent à présent, loin de l'accueil et de ces deux filles venues des beaux quartiers leur poser des questions.

— Eh bien, voilà un début encourageant, commente Morgan en les suivant des yeux. Que dirais-tu si nous allions à l'intérieur nous faire snober au chaud ?

C'est la première bonne idée qu'émet Morgan aujourd'hui.

— Pourquoi n'irions-nous pas discuter avec les responsables du centre ? demande Morgan.

Elle scrute les lieux, repère une poubelle et se débarrasse de son gobelet géant.

— Je parie qu'ils sauront quelque chose.

Monsieur Donovan m'aperçoit et vient à notre rencontre.

— Ben m'a parlé de votre projet, me dit-il après que nous lui avons expliqué la raison de notre présence. J'aurais bien aimé vous aider, mais monsieur Duffy ne m'a jamais confié grand-chose. En fait, il donnait toujours l'impression de vouloir éviter de me parler.

— Mais vous devez bien avoir quelque chose dans vos dossiers, des renseignements sur lui, non ? demande Morgan. Ben dit que c'était un habitué.

Monsieur Donovan lui adresse un sourire aimable.

— Tu es Megan, n'est-ce pas ? lui demande-t-il à ma grande surprise.

Monsieur Donovan ne m'a jamais donné l'impression d'avoir une mauvaise mémoire des noms.

— Morgan, corrige-t-elle.

— Morgan, répète monsieur Donovan comme s'il s'essayait à prononcer ce nom. Désolé. Tu as raison quand tu dis que monsieur Duffy venait ici très souvent. Mais j'ai bien peur de n'avoir aucun dossier ici. Pas sur lui, en tout cas. Ni sur la plupart des gens qui fréquentent l'accueil, d'ailleurs. Nous avons pour mission de leur offrir un endroit sûr où rester au chaud – ou au frais durant les canicules –, de leur fournir des repas et de les aider à obtenir les services dont ils peuvent avoir besoin : soins médicaux, assistance sociale, aide à l'emploi. Enfin, tous ceux qu'ils consentent à recevoir.

— Monsieur Duffy utilisait-il ces services ?

— Pas que je sache. Il était plutôt indépendant. Il ne faisait jamais de vagues non plus. Disons avant les six derniers mois, ajoute-t-il en voyant mon air sceptique. La plupart du temps, monsieur Duffy était tranquille et renfermé. Ce n'est que récemment qu'il s'est mis à faire des bêtises. Il s'est peut-être confié à Betty. Elle l'a si souvent chassé de sa cuisine.

— Qui est Betty ? me demande Morgan une fois monsieur Donovan parti.

Je pousse un soupir. Cela ressemble bien à Morgan de faire du bénévolat quelque part sans se donner la peine de mémoriser les noms des employés et des bénévoles.

— La cuisinière.

— Parfait. Allons lui parler.

Elle me prend la main et m'entraîne vers le fond de la salle.

— La cuisine est par là, Morgan.

Je montre du doigt la direction opposée.

Devant la porte de la cuisine, Morgan me pousse en avant.

— C'est ton idée, me dit-elle. À toi de poser les questions.

Je soupire et entre la première.

— Ce que je sais de monsieur Duffy ? fait Betty après que je lui ai exposé le motif de ma visite.

Elle prend le temps de réfléchir, puis hausse les épaules.

— Pas grand-chose, j'en ai peur. À part qu'il aimait ma soupe au bœuf et à l'orge. Il en redemandait à chaque fois.

— Il ne vous a jamais parlé de son passé ?

— Pas un mot.

— Lui avez-vous au moins demandé ? intervient Morgan sur un ton exaspéré, comme si Betty devait forcément savoir quelque chose.

— Disons que je n'ai pas fouiné dans ses secrets, si c'est ce que tu veux dire, riposte Betty un peu sèchement. Les gens qui viennent ici n'ont pas souvent envie de raconter leur vie. Ils trouvent trop douloureux de repenser aux périodes où les choses allaient mieux pour eux ou, pour certains, aux moments où leur vie était encore pire. Certains atterrissent dans la rue à la suite d'un événement tragique ou par un coup de malchance – ils sont tombés malades ou ont perdu leur emploi ou leur famille. D'autres s'enfuient dans la rue parce que la vie y est meilleure que ce qu'ils ont connu chez eux. Quoi qu'il en soit, une fois qu'ils ont touché le fond, il leur est difficile de remonter la pente. Si bien que bon nombre d'entre eux n'apprécient pas plus que n'importe qui qu'on les interroge sur leur vie privée. S'ils me confient quelque chose, très bien. Mais je ne vais pas aller enquêter sur eux. Quant à monsieur Duffy... eh bien, il n'a jamais pris l'initiative de me parler.

— Et la nourriture qu'il piquait ? demande Morgan.

Je sens le rouge me monter aux joues. Je ne veux pas que Betty pense que j'ai dit du mal de monsieur Duffy. Mais elle se contente de secouer tristement la tête.

— Il aimait en particulier se bourrer les poches de biscuits, dit-elle.

Elle plisse le front.

— Il n'a pourtant jamais fait partie des amateurs de desserts, ajoute-t-elle. Il a dû se découvrir un faible pour les sucreries sur le tard.

Je remercie Betty de nous avoir consacré du temps.

— On ira plus vite si on se sépare, dis-je à Morgan. Je vais aller parler à ceux qui prennent leur déjeuner et tu t'occuperas de ceux qui regardent la télé.

Elle observe avec appréhension la demi-douzaine de personnes installées devant le téléviseur. Elle hésite.

— Ce sont des gens comme les autres, lui dis-je en essayant de m'encourager moi-même.

Et s'ils me considéraient comme le fait Ben – une « deux-quatre » venue à deux reprises pour ensuite s'évanouir dans la nature ? Et si l'un d'eux – ou même plusieurs d'entre eux – réagissaient comme monsieur Duffy ? Mais nous sommes sur place et je veux tenir ma promesse.

— Certains, si ce n'est pas tous, ont connu monsieur Duffy. Je parie qu'ils accepteront de nous aider.

Morgan semble en douter.

Nous nous séparons pour nous retrouver vingt minutes plus tard.

— Une vraie partie de plaisir, fait Morgan avec humeur. Comment ça s'est passé pour toi ?

— Pas terrible, dis-je. À part un homme installé au bout de la table, personne n'a daigné me parler.

Je désigne d'un signe de tête un vieil homme vêtu non pas d'un, mais de deux pardessus et qui transpire sang et eau.

— Mais il n'a rien voulu dire sur monsieur Duffy. Il voulait uniquement me raconter qu'il s'était fait voler ses affaires l'hiver dernier.

Il m'a expliqué que c'est la raison pour laquelle il garde tous ses vêtements sur lui – pour que personne ne les lui pique.

— Et toi ? As-tu appris quelque chose ?

Morgan secoue la tête, dégoûtée.

— Personne ne sait quoi que ce soit – ni son prénom, ni d'où il vient, ni pour quelles raisons il a atterri dans la rue. Ou s'ils le savent, ils ne veulent pas parler.

Elle me lance un regard qui en dit long.

— Si Ben compte sur les renseignements que j'ai pu trouver, la seule chose qu'il sera en mesure de déclarer aux obsèques, c'est que monsieur Duffy avait définitivement arrêté de boire avant de mourir.

Arrêté de boire ?

— Que veux-tu dire, Morgan ?

Elle me regarde avec exaspération.

— Est-ce que je parle subitement ourdou ou quoi ? Quelqu'un m'a dit que monsieur Duffy avait arrêté l'alcool il y a quelques mois.

— Morgan, il est mort parce qu'il a bu au point d'en perdre connaissance.

— Je le sais bien, rétorque Morgan, frustrée que je conteste ses propos. Je ne fais que te répéter ce qu'une femme m'a dit. Elle était catégorique. Elle m'a dit qu'il ne buvait plus. Elle pense que la police raconte qu'il était saoul parce qu'elle essaie de jeter le blâme sur lui alors qu'on sait très bien qu'il est mort parce qu'il n'avait pas accès...

Elle s'interrompt soudain.

— Désolée, marmonne-t-elle. C'est ce qu'elle m'a dit. Je...

— Qui t'a dit tout ça, Morgan?

— La femme assise devant la télé.

Elle se retourne pour me la montrer.

— Oh! lâche-t-elle, déconcertée. Elle était là il y a une minute.

— Comment s'appelle-t-elle?

— Je ne lui ai pas demandé. Écoute, Robyn, je suis sûre qu'elle...

— On dirait bien qu'elle a connu monsieur Duffy. Peut-être sait-elle autre chose à son sujet. Peut-être s'est-il confié à elle. De quoi a-t-elle l'air?

— D'une clocharde. Âge moyen. Plusieurs couches de vêtements sur le dos. Et elle avait un chariot garé à côté de son fauteuil.

— Tu veux parler d'Aggie, fait une voix derrière nous.

Je me retourne.

— Tu es bien Andrew?

Il semble ravi que je connaisse son nom. Il fixe mon pansement à demi dissimulé sous mes cheveux.

— Comment ça va? me demande-t-il.

— On m'a fait deux points de suture, mais je vais bien.

Sauf qu'à présent qu'il m'a rappelé ma blessure, je ne peux m'empêcher de poser le doigt sur mon pansement en me demandant encore une fois si je garderai une cicatrice.

— Je vous ai entendu poser des questions sur monsieur Duffy.

Il a une étrange façon de parler, comme s'il marmottait entre ses dents. Il bouge à peine les lèvres et garde la tête légèrement baissée si bien que même s'il me dépasse d'une bonne taille, j'ai l'impression qu'il lève la tête vers moi quand il me parle.

— Sais-tu quelque chose sur lui, Andrew?

Il fait non de la tête.

— Il ne m'a jamais adressé la parole. Il ne parlait pas à grand monde ici, de toute façon. Mais je l'ai déjà vu avec Aggie une ou deux fois.

— Sais-tu où on peut la trouver?

Il secoue encore la tête.

— Mais elle va revenir. Elle revient toujours.

— Sais-tu où monsieur Duffy passait son temps quand il n'était pas ici?

— Il aimait s'installer devant un immeuble, rue Victoria. C'était son coin. Ça marchait plutôt bien pour lui d'ailleurs, quand on sait comment il traitait certains passants.

— Que veux-tu dire? demande Morgan.

— Il lui arrivait de les engueuler.

Je sais de quoi il parle. Je me souviens d'avoir entendu monsieur Duffy injurier l'homme qui venait de déposer un billet de cinq dollars dans son chapeau.

— Je l'ai vu recommencer il y a deux jours, ajoute Andrew en regardant timidement Morgan. Un type essayait de lui donner quelque chose…

— De l'argent?

— Je n'en sais rien. J'imagine. Il tendait quelque chose à monsieur Duffy, qui lui criait après. Il était tout recroquevillé sur lui-même, tu sais, comme s'il voulait seulement que cet homme s'en aille ou quelque chose du genre. C'était bizarre, mais monsieur Duffy était comme ça par moments. Moi, si un type essayait de me donner de l'argent – si n'importe qui essayait de me donner de l'argent –, croyez-moi, je le prendrais.

— Cela se passait où?

— Au même endroit. Devant cet édifice à bureaux, me répond Andrew avec un regard interrogateur. Pourquoi posez-vous toutes ces questions sur lui?

— Parce que Ben veut organiser un service funèbre et j'essaie de l'aider.

Andrew réfléchit un instant.

— Si j'apprends quoi que ce soit, je te tiendrai au courant.

Je le regarde s'éloigner vers la porte d'entrée en me demandant pour quelle raison il a échoué dans la rue.

Morgan et moi nous apprêtons à quitter le centre quand j'entends monsieur Donovan qui m'appelle.

— J'ai quelque chose pour toi, me dit-il en me tendant une photographie.

C'est un portrait de groupe – des habitués de l'accueil.

— Voici monsieur Duffy, me dit-il en posant l'index sur la droite du groupe. Ce n'est pas la meilleure photo du monde, mais c'est la seule que j'aie pu trouver de lui. Tu peux la garder, si tu veux.

— Bon, on a fini, déclare Morgan, de meilleure humeur depuis que nous avons regagné le trottoir. Allons faire les boutiques !

— Pas encore.

— Ah, allez, Robyn. Il ne reste que neuf jours.

— Tu as promis de m'aider, Morgan.

— Je te demande pardon, mais qu'est-ce que je viens de faire ?

Je la regarde sévèrement.

— D'accord, d'accord, grommelle-t-elle. Qu'est-ce que tu attends de moi ?

7

— On peut rentrer chez nous, à présent ? demande Morgan quelques heures plus tard. J'ai les pieds en charpie. Je suis gelée. Et j'ai encore du crachat sur le devant de mon manteau. Ce truc est pire que de la colle. Et si cette femme ?…

— Aggie. Elle s'appelle Aggie.

— Et si Aggie avait une maladie contagieuse, hein ? C'est fréquent chez ces gens-là, tu sais.

— Pourquoi fais-tu autant la dégoûtée aujourd'hui ? Ce n'est pourtant pas la première fois que tu viens au centre, non ?

Les joues de Morgan, déjà rougies par le froid, virent à l'écarlate.

— Tu y fais bien du bénévolat, non ?

— J'aimerais bien, répond Morgan. Ça compte énormément pour Billy. Mais tu sais combien mes horaires sont imprévisibles.

Hum !

— Dis-moi exactement combien de fois tu es venue ici.

— Arrête, Robyn. Si je venais ici chaque fois que Billy me le demande, je n'aurais plus de temps à moi.

— Combien de fois ?

— Je suis venue une fois au début novembre.

— Combien de temps ?

— Quelle différence cela peut faire ?

Mon imagination me joue peut-être des tours, mais elle a l'air sur la défensive.

— Combien de temps es-tu restée, Morgan ?

Elle hausse les épaules et contemple le trottoir.

— Deux heures environ.

— Deux heures ?

— J'avais un rendez-vous chez le coiffeur. Je suis passée prendre Billy quand j'ai eu terminé, et je l'ai aidé à trier des vêtements qui avaient été donnés.

— Et depuis ?

— Eh bien...

Voilà qui explique pourquoi monsieur Donovan ne se souvenait pas de son nom. J'aurais dû le deviner. Morgan est ma meilleure amie. Elle est follement amoureuse de Billy, même s'il est difficile d'imaginer deux êtres plus dissemblables. Mais la philanthropie n'est pas son fort, surtout en ce qui touche aux sans-abri.

— J'ai cru qu'il valait mieux faire du bénévolat pour des personnes vivantes que d'aller ramasser des oiseaux morts, dit-elle.

Durant la dernière saison migratoire, Morgan a consacré une journée à trier les oiseaux morts ramassés par le club de Sauvetage aviaire du centre-ville. Elle a passé toute la semaine suivante à se plaindre de l'odeur de cadavre qui, à l'en croire, s'accrochait à ses cheveux et à sa peau, même si je n'ai jamais rien détecté de tel.

— Il se trouve que j'avais tort.

— Tôt ou tard, Billy va s'attendre à te voir te pointer ici.

— Peut-être qu'à ce moment-là, il aura trouvé une autre cause à défendre. Tu sais, un truc que je pourrai supporter.

C'est ça.

— Robyn, pourrait-on s'il te plaît aller quelque part où il fait chaud ?

J'examine les environs. Le seul endroit auquel je peux penser est un restaurant appelé Chez Sal. Un établissement de toute évidence bas de gamme. Je regarde Morgan, sceptique.

Une rafale glacée balaie la rue et nous frissonnons toutes les deux.

— Je ne sens pratiquement plus mes doigts ni mes orteils, dit Morgan. Et j'ai le visage tout engourdi. Je pourrais me mettre à baver sans m'en rendre compte. Si c'est chauffé Chez Sal, je m'en contenterai.

Elle change d'avis après avoir franchi le seuil et jeté un coup d'œil sur les lieux.

— À bien y penser, on devrait peut-être aller ailleurs, dit-elle.

— Le seul « ailleurs » que je connais dans le coin est à au moins cinq coins de rue d'ici. Par là.

Je pointe l'index dans cette direction.

— Mais nous aurons le vent de face ! proteste Morgan.

Elle inspecte de nouveau l'intérieur de l'étroit restaurant. D'un côté, un comptoir longe le local jusqu'au fond. Trois des tabourets sont déjà pris. Une demi-douzaine de tables pour quatre encombrent l'autre moitié de la pièce, les deux du fond étant occupées par des hommes qui boivent de la bière.

— On devrait peut-être s'asseoir en avant.

Elle se dirige vers la table la plus proche de la vitrine et inspecte soigneusement une chaise au vinyle couturé avant de s'y poser. Elle déboutonne son manteau qu'elle retire avec précaution.

— Je vais devoir l'envoyer au nettoyage à sec. Je n'arrive toujours pas à croire qu'elle m'ait craché dessus.

— Elle n'aime pas se faire traiter de menteuse, j'imagine.

Morgan avait repéré Aggie, la femme à qui elle avait parlé au centre d'accueil, au moment précis où nous étions en train de nous répartir les endroits à visiter.

— Je présume que non, dit Morgan. Mais pourquoi a-t-elle craché sur moi ? C'est toi qui l'avais mise en colère.

Morgan m'avait traînée jusqu'à la ruelle où elle avait repéré Aggie, occupée à fouiller les poubelles alignées contre le mur d'un dépanneur, et avait demandé à Aggie, comme elle seule sait le faire, de nous répéter ce qu'elle lui avait dit plus tôt à propos de monsieur Duffy. Au début, Aggie avait refusé de répondre et Morgan avait plongé la main dans sa poche pour en sortir toute sa monnaie. Aggie s'était mise à parler et Morgan m'avait lancé un regard triomphant. J'avais alors stupidement répété à Aggie ce que tout le monde, de Ben à monsieur Donovan en passant par mon père et Serena, la pathologiste, avait déclaré – à savoir que logiquement, monsieur Duffy ne pouvait pas avoir mis une croix sur l'alcool parce qu'il avait bu au point de tomber ivre mort – et Aggie avait piqué une colère noire. Et craché sur Morgan.

— Je crois que c'est moi qu'elle visait, si ça peut te consoler, dis-je à Morgan.

— Ça ne me console pas.

Un homme à la mine triste, vêtu d'un tablier autrefois blanc, mais maintenant constellé de taches de graisse, s'approche de nous d'un pas traînant.

— Un café au lait, commande Morgan.

L'homme secoue la tête et désigne du geste les plats illustrés sur le panneau accroché au-dessus du comptoir : le menu. Je passe en revue la liste des consommations offertes.

— Je ne pense pas qu'ils en aient, Morgan.

— Très bien. Un cappuccino, alors.

L'homme secoue encore la tête.

— Morgan, tu as ici le choix entre café, thé ou bière.

Elle me regarde comme si j'avais mal lu le panneau.

— Un expresso ? demande-t-elle.

Il secoue la tête une troisième fois.

— Deux cafés, s'il vous plaît.

Le serveur s'éloigne.

— C'est parfait, dit Morgan sur un ton laissant entendre exactement le contraire.

— On va boire notre café, se réchauffer et récapituler ce que nous avons trouvé, lui dis-je. Et on pourra s'en aller d'ici, d'accord?

Mon père avait raison. Quand on commence à enquêter sur une personne en ne sachant pratiquement rien d'elle et que cette personne ne possède aucun papier d'identité et n'appartient à aucun réseau social – quartier, famille, lieu de travail, études –, il faut ratisser le terrain en long et en large pour réunir quelques pièces du casse-tête, sans parler de reconstituer le casse-tête en question.

— C'est moi qui commence.

— Non, c'est moi, réplique Morgan. Je veux m'ôter tout ça du crâne et ne plus jamais y penser.

L'homme à la mine triste glisse devant nous deux tasses de café boueux. Au bord de chaque soucoupe sont posés deux petits contenants de crème en plastique. Morgan les observe d'abord comme s'ils contenaient du poison, puis en ôte le couvercle et en flaire le contenu avant de le verser dans sa tasse et de remuer le tout. Elle prend une gorgée et fait la grimace.

— Au moins, c'est chaud, Morgan.

— C'est toi qui le dis!

Elle grimace encore, repousse sa tasse sur le côté et se met à récapituler les renseignements qu'elle a pu glaner.

— Premièrement: il s'habillait, si on peut appeler ça ainsi, dans au moins trois des six friperies ou magasins d'articles d'occasion accessibles à pied depuis le centre. Je dis bien «au moins», parce que les gens à qui j'ai parlé dans les trois autres boutiques ne pouvaient pas affirmer avec certitude qu'il y avait déjà mis les pieds. La photo que nous a donnée monsieur Donovan n'est vraiment pas terrible.

Nous avions photocopié ce cliché. Morgan avait pris l'original, me laissant la copie, mais le visage de monsieur Duffy était difficile à distinguer.

— Ce qui est sûr, c'est que monsieur Duffy en a fréquenté trois au fil des ans, toujours à la recherche de vêtements bon marché : pantalon, chemise, chandail, des trucs pour l'hiver. Mais, et j'aimerais bien que tu m'expliques ça, il s'est mis dernièrement à chercher autre chose : des vêtements pour fillette et un manteau d'hiver pour femme. Mais chaque fois qu'il a acheté ce genre d'articles, il a toujours fini par les ramener deux jours plus tard. Je dis bien « toujours ». As-tu une idée de ce qu'il fabriquait ?

Je n'en ai aucune idée.

— Deuxièmement : il y a deux pharmacies dans le coin et deux petites épiceries. Tout le monde dans ces commerces a reconnu monsieur Duffy. Ils m'ont prise pour une vraie folle quand je leur ai posé des questions sur lui. Ils m'ont dit que monsieur Duffy était un fléau. Dans une des pharmacies, le patron avait chargé un vendeur de le suivre à la trace dans les rayons parce qu'il le soupçonnait de vol à l'étalage. Mais jamais ils n'ont réussi à le pincer. Le propriétaire de l'une des épiceries m'a raconté la même chose – à la différence qu'il a réussi à le prendre en flagrant délit. Devine ce qu'il était en train de piquer? Des sachets d'épices. L'homme m'a parlé de coriandre, de cumin... des trucs comme ça.

Elle me regarde intensément pour s'assurer, je crois, que j'ai bien saisi ce qu'elle vient de dire.

— Des fruits, des légumes, même des conserves... je pourrais comprendre. Mais pourquoi un itinérant irait-il piquer des épices? L'épicier m'a dit que monsieur Duffy l'avait supplié de le laisser garder ce qu'il avait pris. Il a fini par céder, mais l'a prévenu qu'il appellerait la police si jamais il remettait les pieds dans sa boutique. Il m'a dit que monsieur Duffy était tellement reconnaissant qu'il l'a même remercié.

« Troisièmement : Je suis allée à la bibliothèque publique. Il arrive que les itinérants s'y installent pour rester au frais l'été et au chaud l'hiver. La bibliothécaire à qui j'ai parlé était vraiment sympathique. Elle se souvenait de lui et m'a dit qu'il se conduisait très bien la plupart du temps. Il y a plusieurs sans-abri qui passent régulièrement. Ils cherchent simplement un endroit où s'asseoir un moment. Ils lisent le journal et utilisent les toilettes, le plus souvent. Mais elle m'a dit que monsieur Duffy s'intéressait plutôt aux magazines. En particulier aux revues d'informatique. Elle avait l'impression qu'il les lisait de la première à la dernière page. Et tu sais que dans la plupart des bibliothèques, il y a un ou deux rayonnages de vieux bouquins retirés du circuit et vendus vingt-cinq ou cinquante cents. Eh bien, monsieur Duffy en achetait un ou deux chaque fois qu'il venait. Il achetait des romans, en général des classiques : Dickens, Tolstoï, Fielding. Mais dernièrement, tu sais quoi ? Il s'est mis à acheter des albums illustrés. Des livres pour enfants.

« Quatrièmement : il se rendait à la clinique sans rendez-vous du quartier tous les deux mois.

Elle s'interrompt en voyant ma réaction.

— Ouais, moi aussi j'ai dressé l'oreille en l'apprenant. J'ai pensé que nous étions peut-être tombées sur un filon. Mais on n'a pas pu me dire la moindre chose parce que, naturellement, son dossier médical est confidentiel. Et personne ne savait quoi que ce soit sur lui. Apparemment, il insistait toujours pour rencontrer le même médecin. Il se trouve que celui-ci est à l'extérieur du pays en mission pour Médecins sans frontières et on ne peut pas le joindre. J'ai laissé un message sur la boîte vocale de son bureau en indiquant ton nom et ton numéro de téléphone au cas où il déciderait de prendre ses messages. On ne sait jamais. Peut-être entrera-t-il en contact avec toi. Voilà. C'est tout ce que j'ai pu trouver.

Je la dévisage, perplexe.

— Quoi ? lance-t-elle, contrariée – à cause de moi, du crachat sur son manteau, du café tiède « non *latte* », du décor autour de nous.

— Tu as fait du bon travail, Morgan.

— On dirait que ça t'étonne.

C'est vrai que ça m'étonne. Je lui avais demandé de m'aider et elle avait accepté. Mais au fond de moi, je doutais de sa capacité (et de sa volonté) à soutirer des renseignements à de parfaits étrangers à propos d'un autre parfait étranger.

— Hum…

J'hésite à soulever le sujet, vu tout le travail qu'elle a déjà abattu.

— Je suppose que tu n'as pas parlé à des clients de la clinique ou des friperies ?

— Pour me faire encore cracher dessus ? N'exagère pas, Robyn.

Elle se cale dans sa chaise et croise les bras sur sa poitrine.

— Et toi, qu'est-ce que tu as trouvé ? me demande-t-elle.

Voilà ce que j'ai pu apprendre :

— Un : j'ai parlé aux préposés à l'accueil des deux refuges pour sans-abri du quartier. Tous deux m'ont dit à peu près la même chose. Ils le connaissent sous le nom de Duffy. Ils ne savent pas d'où il sort et n'ont aucune idée de la vie qu'il menait avant. Ils ignorent pour quelle raison il a atterri dans la rue.

— Ne détectes-tu pas comme un schéma ici, Robyn ?

Je poursuis mon exposé.

— L'un des préposés à qui j'ai parlé travaille dans cet asile de nuit depuis environ cinq ans. Il m'a dit que monsieur Duffy venait y dormir de temps à autre, mais pas souvent. Les deux préposés m'ont dit qu'il n'était pas à l'aise dans les asiles de nuit. Ben m'avait dit la même chose.

— Mais tu l'as entendu toi-même, hein, Robyn ? Monsieur Duffy connaissait l'existence des asiles de nuit. Il aurait pu aller dormir dans l'un d'eux s'il l'avait voulu. Il n'était pas obligé de passer la nuit dehors.

Peut-être.

— Ils ont également dit que ces derniers mois, ils l'avaient surpris à entrer en douce pour piquer des affaires. Ils n'ont jamais porté plainte. Ils l'ont simplement mis dehors. Et tous les deux m'ont confié que jusqu'à récemment, monsieur Duffy buvait sec. Ils ont dit qu'il devait investir dans la boisson presque tout l'argent qu'il gagnait en mendiant.

Morgan tend la main vers sa tasse de café et pendant une seconde, j'ai l'impression que sa dépendance à la caféine sera plus forte que son snobisme. Je me trompe. Elle pousse un soupir et ramène sa main sur son genou.

— Deux : monsieur Duffy était un habitué de la soupe populaire de l'église St. Brigid's. Ils offrent un repas chaud le midi chaque mardi et jeudi. Il s'y pointait au moins une fois par semaine. Il ne parlait à personne et ne causait pas d'ennui non plus – jusqu'à dernièrement, quand il s'est mis à se remplir les poches de nourriture, ce qui est strictement interdit. On te laisse prendre un sandwich et un fruit à emporter pour plus tard, mais c'est tout. Monsieur Duffy a commencé à en vouloir plus.

« Trois : j'ai donné une description de monsieur Duffy et montré sa photo dans environ dix, peut-être onze cafés et restaurants du quartier qu'il arpentait. J'ai prospecté autant auprès des clients qu'auprès des employés. Je crois que la plupart des gens ne prêtent guère attention à ce qui se passe autour d'eux. Seules deux personnes l'ont reconnu et l'une d'elles n'en était pas sûre à cent pour cent. Toutes deux m'ont dit qu'il venait de temps en temps acheter un café pour ensuite s'asseoir à une table jusqu'à ce qu'on lui demande de déguerpir. Les deux établissements appliquent la règle du vingt minutes maximum pour que personne ne reste à traîner des heures devant un café. Seul un gars qui travaille au Black Cat Café connaissait le nom de monsieur Duffy. Il m'a dit qu'il l'avait autorisé à se servir du téléphone à quelques occasions – ce qu'il n'était pas censé faire – et notamment, il y a deux jours. Il ignorait qui monsieur Duffy pouvait appeler.

« Quatre : il existe des douzaines de stationnements souterrains dans le coin. Des lieux glacés, horribles et sinistres. Mais je me suis traînée jusqu'aux postes de péage où j'ai montré aux préposés la photo que monsieur Donovan nous a donnée. Tous m'ont dit la même chose, Morgan. Ils tombent systématiquement sur des itinérants – et plus d'un en général – qui se réfugient dans ces garages chaque fois qu'il fait froid. Générale-ment dans les cages d'escalier, quand ils peuvent s'y introduire. Et le plus souvent, les préposés les laissent tranquilles, du moins jusqu'à sept heures du matin quand les banlieusards commencent à arriver. Appa-remment, les gens qui se rendent en automobile à leur travail n'aiment pas voir des sans-abri essayer de se protéger du froid. Mais personne ne se rappelle avoir vu monsieur Duffy.

— Génial! fait Morgan. Comme ça, on vient de passer la journée à se geler les fesses et on n'en sait toujours pas plus sur monsieur Duffy que lorsqu'on a commencé.

— Nous avons appris quelques trucs.

— Rien qui puisse aider Ben. Nous ne connaissons toujours pas son prénom. Nous ne savons rien de son passé. Nous ignorons pourquoi il a échoué dans la rue. Nous ne savons même pas d'où il vient.

Elle se lève.

— Fichons le camp d'ici.

Je consulte ma montre.

— Nous sommes arrivées ici trop tard pour croiser les gens qui se rendaient au travail.

— Et alors?

— Alors, ils vont bientôt sortir pour rentrer chez eux. Monsieur Duffy quêtait toujours au même endroit. Il y a peut-être des gens qui lui donnaient régulièrement de l'argent. Des gens qui savent peut-être deux ou trois choses à son sujet.

Morgan branle la tête.

— Pas question.

— Quoi, pas question?

— Tu as l'intention de traîner encore dans la rue pour accoster les gens, c'est ça?

— Eh bien, je…

— Et comment vas-tu t'y prendre pour qu'ils s'arrêtent et te parlent?

Bonne question.

— Peut-être que si nous…

— Nous ? me coupe Morgan. Je le savais. Tu es ma meilleure amie, Robyn, et je ferais n'importe quoi pour toi – jusqu'à un certain point. Mais j'ai mal aux pieds, mal au crâne, j'ai du crachat séché sur mon manteau et j'ai promis à Billy de le retrouver…

Elle consulte sa montre.

— Maintenant… Il faut que je file. Allez, Robyn, on ferme la boutique.

— Vas-y.

Moi aussi j'ai mal aux pieds. Et j'ai mal à la tête. Mon manteau a beau être intact, je me sens quand même découragée. Pourtant…

— Je vais rester encore un peu.

Morgan promène son regard sur les trois tabourets et les quatre tables occupés, pour le ramener vers moi.

— Je ne pense pas que ce soit l'endroit idéal pour une fille toute seule…

— Pas ici. Je vais essayer de parler aux gens susceptibles d'avoir déjà donné de l'argent à monsieur Duffy. Il faudra que je le fasse tôt ou tard. Autant m'en débarrasser tout de suite.

Je sors un peu de monnaie que je fais claquer sur la table pour payer nos cafés.

Nous sortons. La température a chuté depuis tout à l'heure, à moins que ce ne soit qu'une impression après notre petite pause à l'intérieur.

— Robyn, tu es sûre ?

Je hoche la tête. Ça ne devrait pas être si terrible que ça, hein ?

8

Problème : comment aborder des gens fatigués et pressés qui, par une soirée glaciale et sombre, se hâtent de regagner leur voiture ou d'attraper le bus, le métro ou le train pour aller retrouver leur famille ou leur chien ou leur chat ? Et à supposer qu'ils s'arrêtent pour bavarder, comment leur soutirer des renseignements sur un vieil itinérant balafré et irascible qu'on a récemment retrouvé mort de froid ?

Je suis postée à l'angle de l'immeuble de bureaux de hauteur moyenne devant lequel, si j'en crois Andrew, monsieur Duffy mendiait les jours de semaine. C'est devant l'entrée de cet édifice que je l'avais aperçu le jour où je me suis rendue au centre pour la première fois. Encore une demi-heure et les employés vont commencer à sortir de l'immeuble et de tous les édifices du quartier. Certains doivent s'être arrêtés au moins une fois pour jeter quelques pièces dans le chapeau de monsieur Duffy parce que sinon, celui-ci ne se serait pas obstiné à s'installer tous les jours à cet endroit. Mais comment attirer leur attention pour qu'ils acceptent de me parler ? Le temps d'accoster une personne qui peut ne rien savoir du tout et de lui expliquer ma démarche, je risque d'en manquer cinq ou dix autres qui savent peut-être quelque chose. Je réfléchis, puis traverse la rue.

Mes préparatifs me prennent plus de temps que prévu. Je réintègre l'entrée où monsieur Duffy avait l'habitude de se poster en me demandant si ma stratégie va réussir et en me réjouissant que Morgan ne soit pas là pour me voir…

— Robyn ?

Je me retourne brusquement.

— Ben ? Qu'est-ce que tu fais ici ?

Ce qu'il fait, c'est me dévisager avec des yeux ronds. Une fois qu'il a fini de lire le recto de ma pancarte improvisée d'homme-sandwich, il me contourne pour aller lire le verso.

— Crois-tu que ça va marcher ? demande-t-il.

Je hausse les épaules.

— J'aurais plus de chances si quelqu'un m'aidait.

Il me sourit et, bon sang, je n'en reviens pas de voir combien ce simple changement d'expression peut transformer un visage.

— Que veux-tu que je fasse ? me demande-t-il.

Je le charge d'attirer l'attention sur moi et ma double pancarte. Bien des passants ralentissent pour lire mon message. Certains repartent en remuant la tête, comme s'ils me prenaient pour une folle. D'autres sourient, comme si eux aussi me prenaient pour une cinglée. Quelques personnes s'approchent de moi et me disent qu'elles ont appris ce qui s'était passé, mais que malheureusement, elles ignoraient que le sans-abri mort de froid était l'homme qu'elles croisaient tous les jours en gagnant et en quittant leur lieu de travail. Bien des gens me confient lui avoir donné de la monnaie de temps à autre, et presque tous déplorent qu'une grande ville aussi prospère compte autant de démunis qui n'ont même pas un toit sur la tête.

Je ne peux pas dire que ma brillante idée donne des résultats spectaculaires. Au total, seules quatre personnes me disent avoir échangé quelques mots avec monsieur Duffy.

— J'avais l'habitude de lui offrir du thé les jours où il faisait vraiment froid, me confie une femme plus âgée. J'ignore comment j'ai découvert qu'il aimait le thé, mais c'était le cas. Il le préférait au café. Je me souviens que la première fois que je lui en ai offert un gobelet, j'étais un peu nerveuse. J'avais peur de blesser son amour-propre. Mais j'avais tort. Il m'a remerciée avec une grande politesse. C'est tout ce que je sais de lui.

— J'ai entendu parler de ce sans-abri mort de froid, me dit quelqu'un d'autre, un homme portant un luxueux attaché-case. C'était lui, hein ?

Il branle la tête, comme s'il était sincèrement désolé.

— Je regrette de ne pas en savoir plus à son sujet, ajoute-t-il. Mais la plupart du temps, il ne parlait guère. Je me souviens seulement qu'à une occasion, à mon retour d'un mois de vacances, il a mentionné qu'il avait remarqué mon absence. Il m'a demandé si j'avais été malade. Cela m'a surpris parce que, comme je l'ai dit, il n'était pas bavard. Quand je lui ai répondu que j'avais séjourné sur la côte ouest, il m'a dit qu'il pariait que les jonquilles étaient déjà en fleurs là-bas. Je me rappelle avoir été surpris par sa réaction, parce que je n'avais jamais pris la peine de me demander d'où il venait et quelles régions il avait pu visiter dans sa vie. On ne se pose jamais ce genre de question, hein, quand on voit quelqu'un mendier ? Alors, je lui ai demandé d'où il venait.

Je retiens mon souffle. Peut-être vais-je enfin apprendre quelque chose sur monsieur Duffy.

— Il ne m'a pas répondu, dit mon interlocuteur.

Je m'efforce de cacher ma déception.

— Il avait subi un traumatisme crânien, vous savez, lui dis-je. Peut-être qu'il ne s'en souvenait pas.

L'homme secoue la tête.

— On ne peut pas dire que la chance lui ait souvent souri, hein ?

Avant de s'éloigner, il me demande le nom du centre d'accueil parce qu'il compte donner de l'argent. C'est bien le moins qu'il puisse faire, ajoute-t-il.

— Je vais te dire une chose, me dit la troisième personne, un homme là encore. Ce type-là en connaissait un rayon en informatique. Je venais de jeter des pièces dans son chapeau – en fin de journée, je donne toujours ma petite monnaie à un itinérant. Pourquoi pas ? J'ai bien réussi dans mon domaine. Et qui a envie de traîner ça dans ses poches ? En tout cas, il y a une ou deux semaines, je venais de lui donner ma monnaie et je discutais avec un copain, un concepteur de logiciels comme moi. On bavardait et mon collègue me parlait du projet sur lequel il planchait en m'expliquant qu'il butait sur un problème qu'il n'arrivait pas à résoudre, et ce vieux type – tu m'as dit qu'il s'appelait Duffy, c'est ça ? – eh bien, il a suggéré quelque chose à mon copain. Et j'ai vu les yeux de mon collègue s'illuminer. Le vieux savait de quoi il parlait. Et il se trouve que sa solution était la bonne. D'ailleurs, pas plus tard qu'hier, mon copain m'a demandé si je l'avais vu dans le coin. Il voulait lui parler. Tu me dis que cet homme est mort de froid, c'est ça ? Quelle fin terrible !

Il sort son portefeuille et me glisse plusieurs billets de vingt dollars dans la main.

— Tu donneras ça à ton centre, d'accord ? Ce n'est pas grand-chose, mais…

Il hausse les épaules.

Finalement, je parle à une dame en âge d'être grand-mère qui se révèle être juge au tribunal de la famille.

— Je suis au courant de cette histoire, me dit-elle. Quelle honte, surtout dans une ville comme la nôtre. Il va beaucoup manquer à cette petite fille.

— Cette petite fille ?

Je consulte Ben du regard pour m'assurer qu'il a bien entendu, dans l'espoir qu'il sache quoi que ce soit à propos d'une petite fille. Mais il semble aussi surpris que moi.

— Quelle petite fille ?

— Elle avait l'habitude de venir lui parler, explique-t-elle. Mon bureau est juste en face.

Elle désigne d'un geste l'élégant immeuble en pierre qui fait face à l'édifice d'acier et de verre devant lequel monsieur Duffy avait l'habitude de se trouver.

— Il se mettait à sourire à son approche. Je crois que ce sont les seules fois où je l'ai vu sourire.

— Savez-vous qui elle est ?

La femme fait non de la tête.

— Une fillette. Six ou sept ans, je dirais. Elle passait toujours avec sa mère. En tout cas, je présume que c'est sa mère. Elles sont originaires d'Asie du Sud. Indiennes ou Sri-Lankaises, je n'en suis pas sûre.

— Savez-vous si elles passent ici régulièrement, à une heure précise ou certains jours en particulier ?

La dame remue encore la tête en signe de négation.

— Je n'y ai pas prêté attention. Il m'arrive de temps à autre de regarder par la fenêtre et c'est ainsi que je l'ai aperçue avec sa mère, et la petite fille parlait avec l'homme sur qui tu enquêtes.

— Vous ne sauriez pas quand elles sont passées la dernière fois ?

— Je suis désolée. Je ne peux pas t'en dire plus.

À peine s'éloigne-t-elle qu'un homme élégamment vêtu m'aborde en me disant qu'il a entendu notre conversation et qu'il trouve ce que je fais « admirable ».

— C'est toujours si gratifiant de voir des jeunes s'intéresser activement à leur entourage, ajoute-t-il.

— Vous souvenez-vous de l'itinérant qui avait l'habitude de se tenir ici ?

— Honnêtement, je n'en suis pas sûr. Je dépose de la monnaie dans plusieurs chapeaux tous les jours. Cela va peut-être te sembler cruel, vu ce que tu tentes de faire ici, mais je ne fais pas vraiment attention. Je regarde surtout le chapeau ou ce qu'ils utilisent comme sébile pour mendier et j'y jette des pièces.

Je me souviens de la première fois que j'ai vu monsieur Duffy. Il avait un visage impossible à oublier. Mais lorsque je lui décris à quoi il ressemblait, l'homme hausse les épaules d'un air contrit. Monsieur Duffy n'a jamais dû lever les yeux vers lui.

— Je suis en ville pour deux semaines encore. Mon entreprise est en train d'ouvrir un nouveau bureau ici. Je pourrais poser des questions autour de moi au cas où des gens auraient déjà parlé à cet homme et en sauraient plus sur lui.

— Je vous en serais très reconnaissante.

Je me mets en quête d'un bout de papier sur lequel je griffonne mon nom et mon numéro de cellulaire.

— Voilà comment me rejoindre, lui dis-je en lui tendant le papier.

— Robyn, dit-il en lisant ce que j'ai écrit. Je m'en souviendrai. Dis-moi, comment se fait-il que tu connaisses cet homme ?

— Je ne le connais pas vraiment. Mais mon ami Ben le connaît, lui.

Je fais signe à Ben d'approcher et le présente.

— Ben travaille auprès de l'organisme que fréquentait monsieur Duffy.

L'homme bavarde un moment avec Ben en lui posant des questions sur le centre et sur ce qu'il y fait. Puis il sort sa carte professionnelle et écrit quelque chose à l'endos.

— Voilà un numéro où vous pourrez me rejoindre. Je suis curieux de savoir si vous finirez par résoudre votre petite énigme.

Je glisse la carte dans ma poche.

— Un gars sympathique, commente Ben.

— Tous ceux qui se sont arrêtés pour parler étaient sympathiques.

Et j'ai honte de moi quand je pense aux quatre personnes qui ont pris le temps d'adresser la parole à monsieur Duffy, moi qui n'ai jamais rien fait d'autre que de jeter un ou deux dollars dans un chapeau.

L'heure de pointe tire à sa fin et quand vient le temps d'abandonner mes pancartes, je grelotte de manière incontrôlable.

— Ton anorak de luxe n'est pas aussi chaud qu'il en a l'air, hein ? fait Ben.

— Je te ferai remarquer que j'ai passé la journée dehors à parler aux gens…

— Je te taquinais, dit-il gentiment.

Pour une fois, son ton n'est ni hostile ni sarcastique.

— Viens, dit-il. Allons nous réchauffer quelque part.

Il me conduit dans un petit restaurant confortable et délicieusement chauffé. Nous nous approprions une banquette au fond et retirons nos manteaux et nos chapeaux. Ben dépose son sac à dos sur le plancher, à côté de lui. Un serveur vient nous distribuer les menus. Je toise Ben.

— Qu'est-ce que tu fabriquais dans le coin, au fait ? Tu me surveillais ?

— Naturellement.

Sa réponse m'irrite.

— Je t'avais dit que j'allais tout faire pour me renseigner sur monsieur Duffy. Tu ne m'as pas crue ?

— Mais si, je t'ai crue.

— Ça ne t'a pourtant pas empêché de me surveiller.

— Je voulais m'assurer que tu n'avais pas d'ennuis. Et t'offrir mon aide, si tu en avais besoin.

Hé, minute !

— Dis voir, comment savais-tu où j'étais ?

Il me sourit.

— La copine de Billy m'a appelé.

— Morgan ?

Il opine du menton.

— Elle m'a expliqué ce que tu faisais. Elle m'a suggéré de te rejoindre, ajoute-t-il en riant. Elle a fait plus que le suggérer, à vrai dire. Elle m'a dit qu'elle trouvait totalement injuste que tu ailles te geler les fesses – je la cite – pendant que moi, je me prélassais au chaud dans une maison confortable.

Cela ressemble bien à Morgan – autant ce qu'elle a dit que ce qu'elle a fait. Et je parierais aussi que si elle a agi ainsi, ce n'est pas uniquement parce qu'elle estimait que Ben devait me donner un coup de main. Elle y a suffisamment fait allusion. Elle considère Ben comme le candidat idéal pour remplacer Nick. Mais je n'ai aucune envie d'un remplaçant.

— Elle a raison, reprend Ben. Je n'aurais pas dû tout te laisser sur le dos. J'ai repensé à ce que je t'ai dit. J'étais en colère. Je n'accepte pas la façon dont monsieur Duffy est mort. Je n'accepte pas qu'il ait fini comme un sans-abri anonyme dont personne ne se soucie, et que sa famille, si famille il avait, ignore même qu'il soit mort. Mais je n'aurais jamais dû passer ma frustration sur toi.

Nous commandons nos plats.

— En tout cas, dis-je pendant que nous attendons d'être servis, on en sait au moins un petit plus qu'avant.

— C'est vrai ?

— Absolument. Tu as entendu ce qu'ont dit plusieurs personnes. Je suis prête à parier que monsieur Duffy a séjourné sur la côte ouest. Nous savons qu'il aimait le thé. Nous savons qu'il en connaissait assez en informatique, que ce soit par ses lectures de magazines spécialisés à la bibliothèque ou son expérience passée, pour impressionner quelqu'un qui travaille dans ce domaine.

— Il aimait naviguer sur Internet au centre. Je lui ai demandé un jour quels sites il visitait, mais il ne m'a pas répondu.

— En tout cas, il avait beau être renfermé, il n'était pas complètement asocial pour autant. Et cette petite fille le faisait sourire.

Je réfléchis.

— La bibliothécaire que Morgan a interrogée a dit qu'il achetait de vieux bouquins en format de poche.

— Je sais, dit Ben.

— Ah bon?

— Les deux livres qu'il avait sur lui, tu t'en souviens? Ils viennent de la bibliothèque. Ils portent le tampon « retiré de la circulation ».

— Morgan a appris que jusqu'à récemment, il achetait de la littérature pour adultes. Mais il y a environ six mois, il s'est mis à acheter des livres pour enfants. Peut-être pour cette petite fille. Il a également acheté des vêtements d'enfant dans une friperie. Mais il les a toujours rapportés pour se faire rembourser.

Voilà un mystère que je n'ai toujours pas élucidé.

— Depuis combien de temps connais-tu monsieur Duffy, Ben?

— Près d'un an. J'ai commencé à faire du bénévolat au centre en janvier dernier. C'était ma résolution du Nouvel An – faire du bien en aidant les autres.

— Comment était-il les premières fois que tu l'as rencontré?

— Que veux-tu dire?

— Morgan et moi avons parlé à bien du monde aujourd'hui. Tous semblent dire que quelque chose a changé dans la vie de monsieur Duffy il y a environ six mois.

Je récapitule tout ce que Morgan et moi avons découvert.

— Avant les six derniers mois, il buvait. Et soudain, il a cessé. Avant les six derniers mois, il ne causait jamais de problèmes dans les refuges ou les soupes populaires qu'il fréquentait. Et puis, voilà qu'il s'est mis à piquer des affaires – de la nourriture essentiellement. Auparavant, il achetait dans les friperies et les magasins d'œuvres de charité des vêtements pour lui-même. Et subitement, il s'est mis à acheter des vêtements pour enfant.

— Qu'il a toujours rapportés, observe Ben.

Je hoche la tête.

— Avant les six derniers mois, personne dans les commerces qu'il visitait ne s'est jamais plaint de sa conduite. Puis il a commencé à commettre des vols à l'étalage. Il a piqué des épices dans une épicerie.

Je pose à Ben la question que m'a posée Morgan.

— Pourquoi un itinérant qui n'a pas accès à une cuisine volerait-il des épices? On ne peut rien en faire à moins de cuisiner soi-même.

— Peut-être les a-t-il données à Betty.

— Nous avons rencontré Betty. Elle nous en aurait parlé.

Je trouve vraiment frustrant d'avoir glané des éléments d'information aussi intéressants sans y voir plus clair pour autant.

— Je ne comprends pas à quoi ça rime. À croire qu'il s'est arrangé pour brouiller les pistes.

Le serveur nous apporte nos plats. Je me découvre soudain une faim de loup et j'attaque avec entrain ma salade au poulet grillé.

— Crois-tu que nous devrions laisser tomber ? demande Ben. Oublier ce projet de service funèbre ? Tu sais, pour respecter ses volontés ?

— Je n'en sais rien. Peut-être.

C'est à Ben de décider quoi faire. Je repense à la petite fille et à sa mère, et à ce que la dame m'a dit à leur sujet. Je repense aux épices qu'a volées monsieur Duffy. Je me demande si la mère et sa petite fille savent que monsieur Duffy est décédé.

— Où sont passés les bouquins que monsieur Duffy avait sur lui ?

— Je les ai ici, répond Ben en ramassant son sac posé par terre.

Je regarde le sac en écarquillant les yeux.

— Qu'est-ce que c'est ?

— Quoi ?

— Ça.

Je montre du doigt l'écusson cousu sur le sac. Je ne l'avais pas remarqué.

— C'est bien l'écusson du collège Ashdale ?

Ben rougit violemment.

— Je ne me trompe pas, hein ? Comment se fait-il que tu trimballes un sac avec l'écusson du collège Ashdale ? Tu es un élève ?

Il contemple les quelques frites restées dans son assiette.

— C'est vrai, Ben ?

Ashdale est un collège privé des beaux quartiers. J'ai entendu dire que c'était l'école de garçons la plus chère et la plus sélecte de toute la ville.

Ben redresse lentement la tête comme s'il était au supplice. Il fait oui.

— Tiens donc, dis-je en digérant la nouvelle. Dis-moi, Ben, de quel droit tu critiques la façon dont moi je m'habille et la voiture que conduit mon père, quand toi tu fréquentes le collège privé le plus cher de la ville?

— Est-ce que des excuses pourraient arranger mon cas?

— Des explications pourraient le faire.

Il inspire profondément.

— D'accord. Quand je t'ai rencontrée la première fois, j'ai cru savoir qui tu étais. Je veux dire, j'ai cru savoir à quelle catégorie tu appartenais. Je te mettais dans le même sac que les filles de ton âge qui habitent dans mon quartier. Les filles qui vont à St. Mildred's.

St. Mildred's est l'école de filles la plus chic de la ville.

— La plupart d'entre elles n'ont aucune idée de ce qu'est la vraie vie. La seule privation qu'elles connaissent, c'est devoir attendre une semaine que le sac Prada qu'elles ont commandé leur soit livré.

— Et tu crois que je suis comme ça?

— Je le croyais. Conjugue ça à l'imparfait. Je me trompais sur ton compte et je le regrette.

Il me regarde dans les yeux et, pendant un bref moment, je le trouve attirant. Puis, je pense à Nick.

— Très bien. Voyons voir ces bouquins.

Je tends la main.

— Je ne pense pas qu'ils nous révèlent quoi que ce soit, dit Ben. Ce ne sont que de vieux bouquins jaunis.

Il fouille dans son sac du collège Ashdale.

Nos mains se touchent quand il me passe les livres et nos regards se croisent. Je détourne aussitôt les yeux en me disant que je ne tiens pas à m'engager avec quiconque, même si le garçon en question s'avère bien plus sympathique et bien plus attentionné que je l'avais cru. Je me répète que pour moi, il n'y a que Nick – Nick qui a quitté la ville sans dire un mot à qui que ce soit. Je sens la moutarde me monter au nez. Je m'efforce de me sortir Ben et Nick de la tête pour reporter toute mon attention sur les deux romans.

9

Les bouquins qu'on a retrouvés dans les poches de monsieur Duffy à sa mort sont deux romans de Charles Dickens, *Les Grandes Espérances* et *Les Temps difficiles*. Je les feuillette et trouve une carte professionnelle, glissée dans les pages du premier. Je l'examine. Il s'agit de celle d'un des meilleurs hôtels du centre-ville. Je la montre à Ben.

— Il a dû la ramasser quelque part, dit-il. Il s'en servait peut-être comme signet.

Je saisis chaque livre par ses deux pages couverture et le secoue doucement au-dessus de la table. Un petit bout de papier finit par tomber.

— Un truc intéressant ? demande Ben.

— Un reçu de caisse.

Je déchiffre les caractères à demi effacés.

— Ça vient d'un magasin d'articles d'occasion.

Ce reçu a en fait été émis par un des magasins que Morgan a visités pas plus tard que ce matin.

— Mais je ne peux pas savoir ce qu'il avait acheté. Il n'y a que le mot «vêtements» et le prix. Et la date. Ça remonte à environ deux mois.

— Autrement dit, nous ne sommes pas plus avancés, dit Ben.

J'inspecte l'endos. Quelqu'un y a griffonné ce qui ressemble à un numéro de téléphone, suivi de la lettre V. Je me tourne vers Ben.

— Pourrais-tu reconnaître l'écriture de monsieur Duffy?

Ben secoue la tête. Je relis le numéro de téléphone. Il a été écrit au crayon, mais le papier a beau avoir été chiffonné, les chiffres restent bien lisibles. Ils ont été tracés d'une écriture fine et élégante.

— Ça ne ressemble pas à une écriture masculine, dis-je. Et sûrement pas à celle d'un vieux clochard.

— Un clochard qui aimait le thé, lisait Charles Dickens et parlait des jonquilles de la côte ouest, me rappelle Ben.

Il vient de marquer un point. Jusqu'à présent, j'avais toujours vu en monsieur Duffy un vieil itinérant à l'esprit dérangé qui chapardait des biscuits dans la cuisine du refuge et bousculait les gens quand il était frustré, un homme que je réduisais à son apparence extérieure et dont je n'avais jamais imaginé le passé. Mais il venait pourtant bien de quelque part. Et il avait dû entreprendre sa vie comme n'importe qui: jeune avec un avenir rempli de promesses. Peut-être avait-il vécu toute son existence dans la rue – tout est possible –, mais j'en doute. Il doit y avoir moyen d'en savoir plus.

Il le faut. Je baisse les yeux sur le reçu de caisse délavé, puis je fouille dans mon sac, en sors mon téléphone et compose le numéro.

— Qui appelles-tu? demande Ben.

J'entends un drelin au bout de la ligne. Je laisse sonner encore et encore jusqu'à ce quelqu'un finisse par décrocher.

— Allô? fait une voix masculine.

— Bonjour. Qui est à l'appareil?

— À qui tu veux parler? rétorque l'homme d'un ton rogue.

— Est-ce que Morgan est là?

Ben m'adresse un regard surpris.

— Morgan est chez Billy, me dit-il.

Plutôt que me répondre que je me suis trompée de numéro, l'homme qui a décroché lance à la cantonade:

— Y a-t-il une Morgan ici?

J'en déduis que le numéro de téléphone griffonné à l'endos du reçu n'est pas celui d'une résidence privée. Je suis probablement tombée dans un endroit public. L'homme revient sur la ligne.

— T'as pas de veine, dit-il. Il n'y a pas de Morgan ici.

— Heu... et où est-ce que j'appelle, exactement?

— Écoute, chérie, c'est toi qui as appelé. J'ai simplement décroché. Ta copine n'est pas ici et une sécheuse vient juste de se libérer. Si je ne saute pas dessus, quelqu'un d'autre va la prendre et je vais devoir rentrer chez moi avec un sac de caleçons mouillés. Tu vois ce que je veux dire?

135

Sécheuse ? Caleçons ? Ce doit être une laverie automatique.

— Morgan m'a laissé un message. Elle m'a demandé de lui apporter de l'assouplisseur, mais elle a oublié de me donner le nom et l'adresse de la laverie.

J'entends l'homme menacer quelqu'un :

— Tu touches à cette sécheuse et tu es mort !

— Allô ? Allô ?

Il m'indique le nom de la blanchisserie et le coin de rue le plus proche avant de raccrocher.

— De quoi s'agit-il ? demande Ben.

— Le numéro de téléphone à l'endos du reçu. C'est celui d'une laverie de quartier située à deux coins de rue du centre, je crois.

Ben pousse un soupir.

— Autrement dit, l'endroit où monsieur Duffy faisait sa lessive.

— Probablement.

Je repousse les livres pour les lui rendre, mais il refuse d'un signe.

— Je ne peux pas les regarder sans me sentir terriblement mal, dit-il. Monsieur Duffy ne possédait pas grand-chose, je sais bien, mais savoir que ces deux vieux bouquins aient pu être ses seuls biens… Non pas que je veuille les jeter mais…

— Si tu préfères, je peux les garder pour toi. Je te les rends quand tu veux.

Ben approuve de la tête avec reconnaissance et j'enfourne les deux bouquins dans mon sac.

— Allez viens, dit Ben. Je te raccompagne jusqu'à l'arrêt d'autobus.

Je sors mon porte-monnaie de mon sac, mais il repousse ma main.

— C'est moi qui offre, dit-il. Après tout ce que tu as fait, je te dois bien ça.

Nous sortons du restaurant.

— À propos, ajoute-t-il, le service est prévu après-demain.

— Après-demain ? Mais nous n'avons pas encore…

— On n'y peut rien. Vu le tour que prennent les choses, on ne pourra pas dire beaucoup sur lui, et j'ai l'impression qu'on ne pourra jamais graver son nom au complet sur sa pierre tombale.

— Sa pierre tombale ?

Je sais que la municipalité va assumer le coût des obsèques et de l'enterrement. Mais de là à financer une pierre tombale ?

— Mais ça coûte cher, non ?

— C'est moi qui paie… disons avec un bon coup de pouce de mon père, explique-t-il sur un ton qui n'a rien d'affectueux. Il a commencé par dire non, prétextant que c'était gaspiller de l'argent, ajoute-t-il d'un air farouche. Il comptait m'offrir une voiture à Noël. Je lui ai dit que je préférais qu'il finance la tombe. Je sais que personne ne fera de grands discours aux obsèques de monsieur Duffy, mais si jamais nous finissons par découvrir son identité, il aura une stèle gravée à son nom.

— J'aurais tant voulu pouvoir en faire plus.

Il remue la tête.

— Je t'avais confié une mission pratiquement impossible, Robyn. Et tu t'es très bien débrouillée. Vraiment.

J'en tombe presque par terre lorsque ma mère m'autorise à assister au service funèbre. Je m'étais préparée à toute une bagarre pour la convaincre.

— Je n'ai pas un cœur de pierre, dit-elle en voyant ma surprise. Et de toute façon, je doute que vous soyez bien occupés à l'école ce matin.

L'assistance est beaucoup plus nombreuse que ce à quoi je m'attendais. J'aperçois monsieur Donovan au premier rang, flanqué de Ben, ainsi que Betty et plusieurs bénévoles. Je reconnais aussi des habitués du centre et repère Morgan, assise au milieu de la nef à côté de Billy. Elle se dévisse le cou pour surveiller la porte d'entrée – elle me cherche des yeux et lève la main dès qu'elle m'aperçoit. Du fond de l'église, je lui fais signe. Elle dit quelque chose à Billy qui se retourne et m'adresse un sourire. Puis elle se faufile entre les bancs et vient me rejoindre.

— On t'a gardé une place, me dit-elle.

— Je préfère m'asseoir au fond.

— Mais Ben est devant. Tu ne veux pas ?…

— D'ici, je verrai les gens qui entrent.

— Tu attends quelqu'un ?

— Je ne sais pas trop. Peut-être.

— Je vais chercher Billy, dit Morgan.

Je secoue la tête.

— Restez où vous êtes, tous les deux. Je vous rejoindrai tout à l'heure.

Morgan regagne sa place à côté de Billy. Je balaie du regard les bancs du fond. Le dernier à droite est vide, et une seule personne occupe celui de gauche – Andrew. Il se met à sourire en croisant mon regard pour aussitôt porter la main devant sa bouche.

Je me glisse sur le banc pour le rejoindre.

— Pourquoi restes-tu au fond ?

Il hausse les épaules d'un air gêné.

— Je préfère m'asseoir près de la sortie, tu sais, au cas où.

Au cas où quoi ?

— Et toi ? me demande-t-il. Pourquoi ne vas-tu pas rejoindre tes amis ?

— Je veux voir qui entre et qui sort.

— Tu surveilles les lieux, c'est ça ?

— Si tu veux. Disons que j'espère voir se pointer une femme qui connaissait monsieur Duffy.

Alors que s'amorce la cérémonie, j'aperçois une silhouette qui se glisse à l'extrémité du banc que nous occupons déjà, Andrew et moi. Je tourne la tête dans sa direction. Il s'agit non pas d'une femme, mais d'un homme vêtu d'un long pardessus, une tuque noire enfoncée jusqu'aux yeux. Il ne se découvre pas. Il nous adresse un regard discret avant de reporter son attention sur les premiers rangs. Probablement un client du centre d'accueil, si je me fie à son apparence. Peut-être a-t-il connu monsieur Duffy. Je me demande s'il lui a déjà parlé.

Je continue de scruter l'assistance durant la première moitié du service. Monsieur Donovan se lève et prononce quelques paroles. Il insiste surtout pour dire à quel point monsieur Duffy était un homme taciturne qui n'avait guère l'habitude de se confier. Ben se lève ensuite pour faire face à l'assistance. Il tient à la main une feuille de papier et y jette un coup d'œil avant d'ouvrir la bouche.

— Je ne connaissais pas très bien monsieur Duffy, commence-t-il. Personne ne le connaissait. Comme vient de le dire monsieur Donovan, il n'était pas très sociable. Et c'était son droit.

Ben balaie du regard les participants disséminés dans les bancs. Puis il baisse encore les yeux sur ses notes. Il les relève, froisse le papier en boule et prend une profonde inspiration.

— C'était son droit de ne pas socialiser. C'était son droit de ne jamais parler de lui-même, de ne rien révéler de sa personne et de son parcours. Mais je ne peux m'empêcher de penser que c'est dommage qu'on n'en sache pas plus sur lui, parce que si on l'avait mieux connu, peut-être que les gens se soucieraient davantage de ce qui lui est arrivé et de ce qui peut facilement arriver aux personnes comme lui. Bien des itinérants comme monsieur Duffy vivent dans cette ville et, la plupart du temps, personne ne pense à eux. Ce sont des êtres humains qui valent autant que les autres, mais ils n'ont pas de domicile fixe. Quand les gens apprennent qu'un sans-abri est mort, c'est une image toute faite qui leur vient à l'esprit. Mais s'ils apprennent qu'un homme qui aimait les fleurs et les enfants est mort, un homme amateur de thé et des romans de Charles Dickens, qui avait peut-être de la famille quelque part, mais à qui il est arrivé malheur, ils s'en feraient une tout autre idée. Monsieur Duffy est mort de froid au cœur d'une grande ville prospère dans un grand pays prospère. Il est mort de froid parce qu'il n'avait rien qui puisse s'apparenter à un foyer. Mais parce que les gens ne savent rien de lui, ils ne s'indignent pas. Et si nous ne nous indignons pas, si nous ne dénonçons pas haut et fort le fait que certains d'entre nous en soient réduits à vivre dans la rue, comment allons-nous pouvoir changer les choses ? Comment allons-nous faire pour éviter qu'un tel drame se reproduise ?

Il s'interrompt brusquement et croise le regard de monsieur Donovan.

— Désolé, dit-il, mais c'est ce que je ressens.

Un silence de mort suit son discours. Puis Andrew commence à taper dans ses mains, doucement, avec lenteur. Une personne assise au premier rang l'imite. Puis une autre, et une autre, et pour finir, tout le monde se met à applaudir. Ben, toujours debout devant l'assistance, rougit jusqu'aux oreilles. Il dit quelques mots au pasteur avant de regagner sa place. Le pasteur attend que le silence retombe.

— Je ne pense pas avoir jamais entendu applaudir à un service funèbre, mais je dois dire que les sentiments exprimés par celui qui m'a précédé méritent une ovation. Dans l'Évangile selon saint Luc, chapitre trois, verset onze, Jean le Baptiste déclare : « Que celui qui a deux tuniques partage avec celui qui n'en a point. » Je crois que cela correspond parfaitement à ce que vient d'exprimer notre jeune ami…

Je n'écoute pas la suite de l'oraison funèbre parce qu'une femme remonte l'allée latérale de la nef. Vêtue d'un léger coupe-vent, elle dissimule ses cheveux sous un foulard. Sous la veste, j'aperçois un ample pantalon brun et or assorti à une jolie tunique. Elle porte un petit bouquet enveloppé dans de la pellicule plastique et tient une petite fille par la main. La femme hésite en approchant des premiers rangs, regarde les personnes assises sur les bancs, puis se redresse comme si elle venait de prendre une décision et conduit la petite fille jusqu'au cercueil de monsieur Duffy, sur lequel elle dépose les fleurs. La tête baissée, elle fait ensuite demi-tour et entraîne la fillette vers la sortie. Je me tourne vers Andrew.

— Andrew, rends-moi service, lui dis-je tout bas.

Je suis des yeux la femme et la fillette qui remontent l'allée.

— Si je ne suis pas revenue avant la fin du service, dis à Morgan – ma copine là-bas – que je vais l'appeler. D'accord ?

Andrew hoche la tête sans poser de question.

Je me lève et sors en hâte de l'église. Une fois dehors, j'aperçois la femme et la petite fille qui remontent la rue d'un pas pressé. Je me mets à courir pour les rattraper. Ce ne sont pas nécessairement les deux personnes que la juge a dit avoir aperçues en compagnie de monsieur Duffy, mais elles correspondent parfaitement à la description. Et si ce sont bien les mêmes, peut-être sauront-elles quelque chose.

La femme comme la fillette portent des vêtements bien trop légers pour la saison. Chaussées d'espadrilles bon marché et non de bottes fourrées, les mains mal protégées par ces gants extensibles trop minces qu'on achète dans les magasins à un dollar, une écharpe autour de la tête en guise de chapeau, elles portent toutes les deux des coupe-vent qui pourraient les protéger de la pluie, mais pas du froid mordant de décembre. Je les rattrape à un feu de circulation. Elles attendent que le rouge passe au vert.

— Excusez-moi.

Les grands yeux noirs de la femme semblent lui manger le visage. Elle tire la fillette contre elle et me regarde. Elle tremble de froid.

— Je regrette de vous importuner, mais je vous ai vue à l'église.

Elle se contente de me fixer.

— J'aimerais vous parler de monsieur Duffy.

— Duffy?

— Vous sortez à l'instant de l'église. Vous étiez à son service funèbre.

La petite fille lève les yeux vers sa mère et prononce quelques mots d'une petite voix, des mots que je ne peux pas comprendre. La femme la prend dans ses bras et la serre contre elle.

— Quelqu'un m'a dit vous avoir vues, vous et votre fille, parler à monsieur Duffy dans la rue.

J'adresse un sourire à la fillette, qui réagit en enfouissant son visage dans l'écharpe de sa mère.

— Quelqu'un vous a parlé de moi? fait la femme, alarmée, en écarquillant les yeux. Quelqu'un me surveillait?

Mon père aurait pu identifier son accent sur-le-champ. Il a de l'oreille et adore surprendre les gens en localisant leur pays ou leur région d'origine: il lui suffit d'entendre quelques mots ou quelques phrases. Mais je n'ai pas hérité de son talent.

— Non, non. Personne ne vous surveillait. Je ne fais que chercher des gens susceptibles de savoir quelque chose sur monsieur Duffy, et une dame m'a dit qu'elle vous avait vues lui parler, vous et votre fille. Alors je me demandais si…

La femme détourne ses yeux des miens pour fixer un point par-dessus mon épaule.

— Désolée, dit-elle, subitement nerveuse, je dois partir.

J'entends derrière moi une voix proférer quelque chose dans une langue inconnue. Je me retourne et fais face à un homme visiblement mécontent, aussi mal équipé que la femme, et qui ne porte qu'un léger blouson par-dessus ce qui ressemble à des vêtements de travail. Le logo d'une entreprise est cousu sur le blouson. Après m'avoir décoché un regard noir, il prend la petite fille des bras de sa mère. Il adresse encore quelques mots à la femme. Elle répond en secouant la tête. L'homme commence à s'éloigner, la fillette dans les bras. La femme me regarde, navrée, puis s'éloigne en hâte pour les rattraper.

— Attendez! J'ai seulement quelques questions à vous poser...

L'homme se retourne vers moi d'un air furieux et presse le pas. Je reste plantée là, ne sachant que faire. La femme était nerveuse et de toute évidence, cet homme, qui à mon avis ne peut être que son mari, ne veut pas qu'elle me parle. Mais pourquoi?

Je les regarde disparaître à l'angle de l'artère. Puis, comme si un fil me rattachait à eux et que je n'avais pas d'autre choix, je commence à les suivre. Lorsque j'arrive au coin, ils sont déjà parvenus au bout du trottoir. Je les vois emprunter une rue transversale et je me presse sur leurs pas. Mais le temps d'atteindre le coin, ils se sont volatilisés. Je contemple cette avenue, bordée de chaque côté par au moins trente ou quarante immeubles d'habitation. Ils ont pu pénétrer dans n'importe lequel. Je reste plantée là un moment, à l'affût du moindre mouvement. Rien.

Découragée, je rebrousse chemin pour regagner l'église. Je remarque en cours de route quelque chose qui avait échappé à mon attention à l'aller: la buanderie du coin. C'est précisément celle où j'avais téléphoné après avoir trouvé ce numéro sur le reçu glissé entre les pages d'un des livres de monsieur Duffy.

10

Mon téléphone sonne – encore.

— Oui ?

C'est Morgan.

— Peux-tu m'expliquer pourquoi je me retrouve une fois de plus à me geler les fesses alors que je devrais être en train de terminer mes achats de Noël bien au chaud dans un centre commercial ? En fait, j'aimerais que tu m'expliques pourquoi, chaque fois que j'accepte de donner un coup de main – à toi ou à Billy – je me retrouve invariablement complètement transie.

C'est par défaut que j'ai demandé à Morgan de m'aider. J'avais d'abord approché Billy, espérant qu'il accepte sur-le-champ, ce qu'il aurait fait s'il n'avait pas déjà été pris à la Société protectrice des animaux. Non pas que Morgan se soit proposée d'elle-même. Au contraire, elle avait bien l'intention de rentrer chez elle se prélasser dans un bain moussant parce que, pour la citer, « il faisait chaud dans l'église et certaines personnes, qui ne sentent déjà pas très bon au départ, se mettent carrément à puer dans un local surchauffé – sans vouloir offenser qui que ce soit ». Et elle comptait bien se livrer ensuite à son passe-temps favori – faire les magasins. J'ai donc dû la convaincre de revenir au centre-ville avec moi.

Je pousse un soupir.

— As-tu l'intention de m'appeler toutes les deux minutes pour te plaindre ?

Je me réjouis de lui parler au téléphone, plutôt qu'en personne.

— Ça fait une heure que nous traînons dehors, Robyn. Le soleil va bientôt se coucher. Et il commence à faire vraiment froid.

— S'il doit sortir, il va apparaître très bientôt, Morgan.

— Qu'est-ce qui te fait croire qu'il va sortir ?

Bon sang, encore cette question.

— Parce qu'il avait le logo du service d'entretien Les Oiseaux de nuit sur son blouson, dis-je encore une fois.

Je connais ce nom parce que je suis allée souvent dans le bureau de ma mère après les heures ouvrables et j'y ai vu de ces « oiseaux de nuit » à l'œuvre. Au dire de ma mère, il s'agit d'une grosse entreprise qui a accaparé le marché de l'entretien des bureaux du centre-ville.

— Ils arrivent après le départ de tous les employés, en général entre cinq heures et demie et six heures du soir. S'il est à l'emploi de cette compagnie, il va sortir très bientôt de chez lui, sans quoi il arrivera en retard au travail.

— À supposer qu'il travaille effectivement dans cette boîte, grogne Morgan.

— Il portait un blouson de l'entreprise.

— Ce pauvre minable de Jason Ramson vient bien à l'école en treillis militaire! Ça n'en fait pas un soldat pour autant, rétorque Morgan. Il s'habille au surplus de l'armée. Il croit que ça lui donne l'air cool.

Je consulte ma montre.

— Si à six heures, il n'est pas sorti, on s'en va. Et je te paie un café au lait.

— Avec un *biscotti*, surenchérit Morgan. Au chocolat.

— Marché conclu.

S'il est une chose que j'ai apprise depuis que je connais Morgan, c'est qu'elle se laisse facilement corrompre.

Voilà le plan que j'ai concocté: je sais dans quelle rue la femme et la fillette habitent, mais j'ignore à quelle adresse. J'ai donc recruté Morgan pour qu'elle fasse le guet au coin pendant que je me posterai à l'autre extrémité, de manière à repérer par quelle porte notre homme sortira. Dès qu'il se sera éloigné, nous irons rencontrer la femme. Peut-être sera-t-elle moins nerveuse cette fois-ci. Je n'en mettrais pas ma main au feu, mais j'ai l'impression qu'elle en sait probablement davantage sur monsieur Duffy que toutes les personnes que j'ai abordées jusqu'ici. Monsieur Duffy a acheté des vêtements pour enfant dans une friperie et des livres jeunesse à la bibliothèque. Il a volé des épices dans un commerce. Je me trompe peut-être, mais j'ai tendance à croire qu'il a fait tout ça pour cette femme et cette petite fille.

Mon téléphone sonne encore.

— Je t'offre une boîte de *biscottis* au complet, Morgan, si tu patientes encore un peu…

— C'est un bonhomme maigre, hein? me coupe Morgan d'une voix étouffée, à peine audible. Cheveux noirs, visage étroit, portant un genre de blouson?

— Morgan, je t'entends mal.

Silence.

— Morgan?

Je scrute le bout de la rue. Pas de Morgan.

— Morgan? Tu es encore là?

— Il vient de passer devant moi et a sauté dans un bus, dit Morgan, d'une voix à présent claire et nette. Ce logo des Oiseaux de nuit… c'est bien un grand cercle jaune avec au centre un genre de hibou, hein?

— À ton avis?

— Alors ce doit être notre homme.

— As-tu repéré de quel immeuble il sortait?

— Naturellement. Et je t'ai aussi entendue promettre une boîte de *biscottis*. Tu n'y échapperas pas, tu sais.

Je coupe la communication et remonte la rue à toutes jambes pour aller la rejoindre. J'ai un sac en papier à la main.

— C'est là, m'annonce Morgan en désignant une habitation en briques de deux étages à la façade décrépite.

Nous gravissons les marches branlantes du perron de bois et frappons à la porte. Pas de réponse. Un homme chargé de deux sacs à ordures verts apparaît à l'angle de l'immeuble. Il nous regarde, dépose les déchets et disparaît à nouveau derrière l'angle de l'immeuble. Il réapparaît une minute plus tard avec deux autres sacs. Il s'arrête pour nous dévisager.

— C'est quoi, son problème ? grogne Morgan.

Je cogne encore à la porte, plus fort. Toujours rien.

— La femme et la petite fille ont dû sortir avant le départ de l'homme, suppute Morgan.

— Peut-être.

Je regrette d'avoir fait un arrêt dans cette boutique en chemin. Il aurait mieux valu commencer notre guet plus tôt.

— Vous cherchez quelqu'un, les filles ? demande l'homme depuis le bord du trottoir.

— Il y en a qui n'ont vraiment rien à faire dans la vie, bougonne Morgan.

— Il la connaît peut-être.

Je me tourne vers lui.

— Nous cherchons la femme qui habite ici.

Il me regarde d'un drôle d'air.

— Il y a six femmes qui habitent ici. Quelques hommes aussi. C'est un immeuble à logements. Vous pouvez toujours frapper, ajoute-t-il en montrant la porte, ça ne vous avancera pas à grand-chose.

Voyant que nous ne réagissons pas, il se met à se bouger la tête comme s'il nous prenait pour des demeurées.

— Il faut entrer, dit-il, et aller frapper chez la personne que vous cherchez.

Oh !

Morgan ouvre la porte extérieure et nous pénétrons dans un hall d'entrée exigu. Je compte six boîtes aux lettres fixées au mur.

— Cet immeuble semble bien petit pour six appartements, observe Morgan.

— Ils doivent être vraiment minuscules.

— Imagine ce que c'est que d'élever un enfant dans un logement pareil, dit Morgan en balayant du regard le hall sinistre. Bon, quel est celui que nous cherchons ?

Je contemple les boîtes aux lettres. Sur chacune est fixée une carte portant le nom du locataire. Je sors mon portefeuille de mon sac et en extrais le reçu de caisse que Ben et moi avons trouvé dans un des livres de monsieur Duffy. Sur une des cartes des boîtes aux lettres, un nom a été tracé de la même écriture élégante et gracieuse que le numéro de téléphone figurant à l'endos du reçu. Je pointe l'index vers la boîte.

— Celle-là. Numéro cinq. R. Khan.

Morgan contemple les trois portes donnant sur le vestibule.

— Première, deuxième ou troisième porte ?

Il n'existe qu'un seul moyen de le savoir. J'ouvre la première. Elle donne sur un petit palier au sous-sol, qui dessert deux autres portes. Je descends quelques marches pour déchiffrer les numéros inscrits sur chacune – un et deux. Je rebrousse chemin jusqu'à l'entrée principale et j'ouvre la seconde porte pour découvrir deux autres portes numérotées – trois et quatre.

— La troisième porte, dis-je à Morgan.

Elle lève les yeux au ciel.

— Excellente déduction, Robyn.

La troisième porte donne sur une cage d'escalier menant au premier étage. En haut, encore deux portes – les appartements cinq et six. Je frappe au numéro cinq. L'œilleton, jusqu'ici lumineux, s'obscurcit soudain, preuve incontestable que quelqu'un vient d'y coller son œil, puis s'éclaircit de nouveau et j'attends. Rien ne se passe. Je frappe encore.

— Il n'y a personne, dit Morgan.

À ma grande surprise, elle paraît déçue.

Je cogne encore, plus fort cette fois. La porte peu solide en tremble sur ses gonds.

— Robyn, bon sang, fais-toi une raison. On ressayera une autre fois.

La porte s'entrebâille de quelques centimètres. Morgan sursaute et une femme risque un œil derrière la chaîne de sécurité.

— Bonjour, madame. Vous vous souvenez de moi ? Je vous ai vue aux obsèques. Je sais que vous étiez amis, monsieur Duffy et vous. Je l'ai connu, moi aussi.

La femme nous dévisage, puis remue la tête et commence à refermer la porte. Je pousse sur le panneau pour l'en empêcher.

— Je vous en prie. Je veux seulement vous parler quelques minutes.

— Il faut que je la referme si je veux pouvoir l'ouvrir, dit la femme.

Je laisse retomber ma main. J'entends cliqueter la chaîne de sécurité. Quelques secondes plus tard, elle m'ouvre.

La femme qui nous reçoit est mince, de petite taille. Une couverture lui enveloppe les épaules. Derrière elle, une petite fille aux yeux noirs me gratifie d'un regard furtif.

— Vous pouvez entrer, dit la femme.

Morgan et moi essuyons soigneusement nos pieds sur le petit paillasson posé devant le seuil.

— Comment avez-vous su où me trouver ? demande la femme.

Embarrassée, je lui avoue que je l'ai suivie.

— Mais je l'ai fait parce que c'était important, vous savez.

Je lui explique dans quelles circonstances j'ai fait la connaissance de monsieur Duffy et pourquoi je cherche à me renseigner sur lui.

— Je me sens en partie responsable de ce qui lui est arrivé, vous savez.

— Toi ? fait la femme en plissant le front. En quoi serais-tu responsable ?

Je lui raconte ce qui s'est passé au centre, l'exclusion de monsieur Duffy avant la nuit la plus froide de l'hiver, et le décès consécutif de monsieur Duffy. La femme m'écoute en silence.

— Il était difficile à comprendre, dit-elle lorsque je finis par me taire. Je veux parler de sa façon d'agir. Au début, il me faisait peur. Mais il n'a jamais fait peur à Yasmin. Je vous présente Yasmin.

Elle pose la main sur la tête de la fillette qui s'accroche à elle.

— Je m'appelle Aisha. Vous avez dû geler dehors. Permettez-moi de vous offrir du thé.

Nous ôtons nos bottes et nos manteaux en nous réjouissant toutes les deux – je présume que Morgan partage mon sentiment – de porter d'épais chandails. Il fait frisquet dans les deux petites pièces de ce logement chichement meublé et je repense aux vêtements bien trop légers que je les ai vus porter dehors, elle, son mari et leur petite fille. Acheter des fleurs pour les funérailles a dû représenter un gros sacrifice, vu leurs maigres ressources.

— Asseyez-vous, dit Aisha en indiquant du geste le vieux canapé usé contre le mur.

Elle disparaît dans la petite pièce donnant sur le séjour – qui se trouve être la salle de bains – pour remplir la bouilloire, qu'elle va ensuite poser sur un des brûleurs d'une petite cuisinière à gaz toute cabossée. En attendant que l'eau chauffe, nous en apprenons un peu plus sur Aisha et son mari, Rashid.

Ils ont récemment émigré du Pakistan en pensant assurer ainsi un meilleur avenir à Yasmin et aux enfants qui suivraient éventuellement. On leur avait dit, avant leur départ, qu'ils trouveraient sans difficulté un emploi et ils avaient économisé suffisamment d'argent pour tenir, le temps de s'installer et de trouver du travail. Rashid était ingénieur civil au Pakistan et Aisha, médecin. Mais ils n'ont pu ni l'un ni l'autre trouver d'emploi dans leur champ de compétences parce que leurs qualifications ne sont pas reconnues. Personne n'a voulu embaucher Rashid parce qu'il n'avait pas d'expérience canadienne. Et avant de pouvoir pratiquer la médecine ici, Aisha doit suivre une série de cours et passer des examens. Ils n'en ont pas les moyens pour l'instant. À ce jour, cela fait près de neuf mois qu'ils sont ici et ils ont pratiquement épuisé leurs économies. Il a fallu longtemps à Rashid, près de six mois, pour décrocher un emploi. Il a travaillé quelques semaines dans une entreprise de télémarketing, mais ça le rendait si malheureux qu'Aisha a insisté pour qu'il démissionne.

— À présent, il fait du ménage de nuit dans les immeubles de bureaux. Il n'aime pas ça. Il trouve ça dégradant. Mais que peut-on faire ?

Tout s'est avéré bien plus cher que ce qu'ils avaient escompté. Et comme tout le monde, ils ont été surpris par l'arrivée précoce de l'hiver et par l'intensité du froid. Je repense encore une fois à leurs vêtements trop légers pour leur garantir la moindre protection.

— Il existe des magasins où vous pouvez acheter des vêtements chauds d'occasion, lui dis-je. Ils sont propres et en bon état.

— Oui, je sais, répond-elle. Je suis allée dans une friperie acheter un manteau pour Yasmin. Mais quand Rashid a appris que le magasin était tenu par une œuvre charitable, il m'a obligée à le rapporter. Il est très fier. Il n'accepte pas la charité.

Je pense aux vêtements qu'avait achetés monsieur Duffy et qu'il avait rapportés. Les pièces du casse-tête commencent à se mettre en place.

La bouilloire siffle et Aisha se précipite vers la cuisinière pour préparer le thé, qu'elle verse dans les délicates tasses en verre qu'elle a disposées sur un plateau. Du thé au lait, sucré et parfumé.

Je pose mon sac sur la table et en sors une boîte de gâteaux.

— Nous avons apporté des *cupcakes*.

J'ai pensé à Yasmin en les achetant. Je lui souris.

— Au chocolat. Tu aimes le chocolat ?

Yasmin hoche la tête d'un air solennel et me regarde ouvrir la boîte en carton. Elle s'approche et écarquille les yeux en découvrant les gâteaux à l'intérieur. Elle se tourne vers sa mère, qui lui dit quelques mots d'une voix douce avant de sortir trois petites assiettes du placard au-dessus de la cuisinière. Elle pose un gâteau sur l'une d'elles qu'elle tend à Yasmin. La petite fille s'assoit sur une chaise et attaque délicatement son *cupcake* après avoir ôté le moule en papier, en prenant une gorgée de thé au lait entre deux bouchées, pour ensuite grignoter le dessus couvert d'un épais glaçage au chocolat.

Aisha insiste pour que Morgan et moi prenions un gâteau, sans se servir elle-même.

— À propos de monsieur Duffy, dis-je finalement.

— Il était bon pour nous, répond Aisha. Il essayait de nous aider.

— Essayait ? fait Morgan.

— Nous avons fait sa connaissance dans le parc cet été. Disons plutôt que Yasmin a fait sa connaissance, ajoute-t-elle en couvant sa fille d'un regard affectueux. Elle était en train de jouer et a traversé le parc quand j'avais le dos tourné. Et soudain, un gros chien s'est précipité vers elle et lui a fait peur.

J'ai un regard compatissant pour Yasmin. La même chose m'était arrivée quand j'étais petite, mais le gros chien que j'avais rencontré dans un parc m'avait mordue, ce qui me vaut depuis une sérieuse phobie des chiens.

— Et puis un homme – c'était monsieur Duffy – est intervenu et il a attrapé le chien par le collier pour le ramener à son maître, qui ne surveillait pas l'animal. Le propriétaire du chien s'est montré très grossier envers monsieur Duffy. Il lui a dit que son chien était inoffensif et qu'il avait autant le droit de se promener dans le parc que n'importe qui. Monsieur Duffy a essayé de lui expliquer que son cabot avait effrayé Yasmin, mais l'homme ne voulait rien entendre. Il a injurié monsieur Duffy. Il l'a traité de tous les noms à cause de son apparence. Ça m'a rendue furieuse.

Ses yeux jettent des éclairs à ce souvenir.

— J'ai dit à cet homme de se montrer plus poli et de mieux surveiller son chien, et il s'en est pris à moi et s'est mis à m'injurier à mon tour.

— Je suis désolée, dis-je.

Aisha prend une gorgée de thé.

— J'ai remercié monsieur Duffy de s'être porté au secours de Yasmin. Il restait silencieux et gardait les yeux baissés. Je n'en suis pas certaine, mais j'ai l'impression qu'après ce que lui avait dit l'homme, il avait honte de son apparence. Son visage...

Elle tourne son regard vers Yasmin.

— Si on ne le connaissait pas, on pouvait le croire dangereux. Je crois qu'il ne voulait pas effrayer Yasmin, comme l'avait fait le chien. Il s'est éloigné. Quelques jours plus tard, je l'ai revu dans le parc. Il faisait encore chaud et j'avais apporté un pique-nique pour que Yasmin et moi puissions manger dehors. On est bien mieux dans un parc que dans ce logement.

Elle regarde autour d'elle avec amertume.

— Lorsque je l'ai aperçu, j'ai voulu le remercier pour Yasmin et je l'ai invité à partager notre pique-nique. Il a commencé par refuser. Mais quand Yasmin lui a offert quelque chose, il a fini par accepter. Il a mangé avec grand plaisir, ajoute-t-elle avec fierté. Le lendemain, nous l'avons encore croisé. Il avait une boîte de pêches au sirop et me l'a offerte pour que je la rapporte à la maison, mais je lui ai dit que c'était impossible. Rashid allait demander d'où ça venait et si je lui répondais que c'était un cadeau offert par un inconnu, il allait m'obliger à m'en défaire. Impossible aussi de lui dire que je les avais achetées, parce qu'il allait me demander pourquoi je gaspillais de l'argent dans des choses pareilles. Monsieur Duffy est alors allé faire ouvrir sa boîte de conserve dans un restaurant et il en a rapporté des cuillers en plastique. Nous avons mangé les pêches dans le parc – la boîte au complet ! Elles étaient délicieuses.

Elle sourit en évoquant ce souvenir.

— Par la suite, nous l'avons souvent croisé, au parc ou dans la rue. C'était un pauvre homme. Il s'asseyait sur le trottoir et les gens lui donnaient de l'argent. Il me faisait tellement pitié. Mais il avait toujours quelque chose pour nous. Pour Yasmin. Il aimait lui offrir des biscuits.

Je me souviens de ceux qu'il avait chapardés au centre d'accueil.

— Et des épices, lui dis-je. Il vous a donné des épices.

— Comment le sais-tu ?

Je lui sors un pieux mensonge en racontant qu'un épicier m'a dit que monsieur Duffy lui en avait acheté.

Aisha opine du menton.

— Il achetait aussi des vêtements chauds dans un de ces magasins tenus par des œuvres de charité. Mais je devais l'obliger à les rapporter. Rashid n'allait jamais accepter. Monsieur Duffy n'arrivait pas à comprendre. Il s'entêtait à m'apporter des choses pour Yasmin et je devais lui demander de les rapporter pour qu'il se fasse rembourser. Il était si pauvre. Un jour que nous marchions dans la rue avec Rashid, nous l'avons aperçu et Yasmin s'est précipitée vers lui pour lui parler. Ça n'a pas plu à mon époux. Il a réagi comme l'homme dans le parc, il n'a vu que son apparence et il n'a pas voulu que Yasmin lui parle. J'en ai discuté avec lui plus tard, mais il n'a rien voulu entendre. Rashid peut se montrer terriblement têtu.

Je sors le reçu de caisse de la friperie à l'endos duquel figure le numéro de téléphone suivi de la lettre V.

— Est-ce que c'est vous qui lui avez donné ce numéro ?

Elle approuve d'un signe.

— Je connais la femme qui tient la laverie. Je vais y faire ma lessive le vendredi matin.

— Et c'est pour ça que vous avez ajouté le V ?

— Je lui ai dit qu'il pouvait me joindre le vendredi. Qu'il pouvait me laisser un message, aussi, au cas où il aurait des ennuis ou aurait besoin de quelque chose. Je me faisais du souci pour lui, surtout depuis qu'il fait si froid. Mais il n'a jamais téléphoné. Il n'a jamais demandé d'aide.

— Est-ce que monsieur Duffy vous a déjà parlé de son passé ?

Aisha hésite un instant, puis secoue la tête.

— Vous avez entendu le jeune homme qui a parlé à la cérémonie ?

Elle répond en silence par l'affirmative.

— Il aimait monsieur Duffy. Et il trouve épouvantable que personne ne sache rien de lui. Il estime que tant qu'il ne pourra pas raconter la vie de monsieur Duffy – vous savez, pour que l'on sache qui il était avant d'être un sans-abri, que l'on comprenne dans quelles circonstances il a échoué dans la rue –, les gens vont simplement continuer à penser que les itinérants ne sont pas des êtres humains comme le reste d'entre nous, qu'ils sont différents, qu'ils méritent de vivre dans la rue parce qu'ils sont paresseux, stupides ou fous.

— Monsieur Duffy n'était pas stupide, proteste Aisha, apparemment surprise qu'on puisse penser une chose pareille. Il était très intelligent. Je suis sûre qu'il avait une bonne situation avant que sa vie bascule.

— Qu'est-ce qui vous fait croire ça ?

— Il savait énormément de choses. Et il lisait beaucoup. Il aimait aller à la bibliothèque.

— Vous a-t-il jamais parlé du métier qu'il exerçait ? Elle secoue la tête.

— Vous a-t-il jamais parlé de ce qui lui était arrivé, de la raison pour laquelle il avait fini dans la rue ? Elle fait non.

— Il pouvait souffrir de terribles migraines. Il avait subi un grave traumatisme. Je lui ai un jour demandé ce qui lui était arrivé, mais il ne m'a pas répondu. Il lui arrivait d'avoir le regard vide. De perdre la mémoire.

Yasmin revient en gambadant dans la pièce. Je n'avais même pas remarqué son absence. Elle tire sur la manche de sa mère et lui dit tout bas quelque chose que je ne saisis pas. Puis elle glisse quelque chose dans la main de sa mère. Aisha reste immobile, les doigts serrés sur ce que Yasmin vient de lui donner, les yeux rivés sur la moquette râpée.

— J'ignore d'où il venait, finit-elle par dire en levant les yeux pour les fixer dans les miens. Mais un jour, il m'a dit : « Aisha, voudriez-vous me ramener chez moi ? »

— Où ça, « chez moi » ? demande Morgan.

Aisha hausse les épaules.

— Je lui ai demandé ce qu'il entendait par là. Mais il a seulement bougé la tête en ajoutant qu'il disait des bêtises. Qu'il imaginait des choses, qu'il avait probablement des visions.

— Des visions de quoi?

— Je n'en sais rien. Nous bavardions avec lui dans la rue, à l'endroit où il mendiait, et il m'a demandé ça. Puis il s'est levé et s'est éloigné. Il n'a même pas dit au revoir à Yasmin. Je crois qu'il n'allait pas bien ce jour-là.

— Quand est-ce arrivé?

— Il n'y a pas longtemps. Une semaine, peut-être. Le lendemain, il m'a donné ça. Il m'a demandé de le garder en sécurité pour lui. Il avait constamment peur de se le faire voler. Il m'a dit que c'était tout ce qu'il possédait.

Elle ouvre sa main et nous montre une bague et une petite enveloppe, qu'elle ouvre pour en sortir une photo en noir et blanc de forme ovale. C'est le portrait d'un garçon d'environ quinze ou seize ans.

— A-t-il dit qui c'était?

Elle fait non.

— La photo paraît très ancienne. J'ai d'abord pensé que c'était une photo de lui, mais ça ne lui ressemblait vraiment pas.

C'est un fait que ça ne lui ressemble pas. Mais c'est l'image d'un adolescent et monsieur Duffy avait plus de soixante ans quand il est mort, si j'en crois l'estimation qu'a faite le coroner. Il avait les cheveux grisonnants, le visage balafré et un œil de travers. Morgan me prend la photo des mains et l'examine attentivement.

— Il y a des choses qui ne changent jamais, observe-t-elle.

Je me tourne vers elle.

— Que veux-tu dire ?

— Les photos d'école. Comme les photos de passe-port ou de permis de conduire. On a l'air soit d'un fort en math, soit d'un criminel. Et ce type me semble plutôt du genre premier de classe – regarde-moi cette cravate.

Même si le cliché ne montre que le visage et les épaules du garçon, on peut voir qu'il porte une chemise blanche, un veston et une cravate.

Aisha me tend la bague. C'est une petite cheva-lière de collège, sur laquelle est gravée l'inscription : *académie St. Mark's*. Mais il n'y a pas de date.

— Vous pouvez les garder, nous dit Aisha. Peut-être que cela pourra vous aider.

Je glisse la bague et la petite enveloppe dans mon sac. Morgan et moi enfilons nos bottes et nos bons manteaux pendant que Aisha débarrasse les tasses à thé et renoue le ruban autour de la boîte renfermant le reste des gâteaux.

— Aisha ?

Je lui tends le sac qui vient du magasin de jouets – un cadeau pour Yasmin. Aisha en vérifie le contenu, mais refuse. Je n'insiste pas. Elle me tend la boîte de gâteaux.

— Mais ils sont pour vous, proteste Morgan.

Je prends la boîte des mains de Aisha.

— Merci de votre aide, lui dis-je. Elle est très appréciée.

Je fouille dans mon sac à la recherche d'un bout de papier et d'un stylo. Je griffonne mon numéro de téléphone et lui tends le papier.

— S'il y a quoi que ce soit que je puisse faire – si vous avez besoin de quelqu'un pour garder Yasmin –, n'hésitez pas à m'appeler. Sincèrement.

Elle hoche la tête et plie le bout de papier avant de le glisser dans sa poche.

— Si vous découvrez quoi que ce soit concernant monsieur Duffy, j'aimerais que vous me teniez au courant.

Je le lui promets.

— Qu'est-ce qu'on fait à présent ? demande Morgan quand nous nous retrouvons dans la rue.

Je regarde mon sac dans lequel j'ai glissé la bague et la petite enveloppe.

11

Morgan et moi nous séparons, elle pour regagner ses pénates et moi pour me rendre chez mon père. Mais je décide de faire un petit crochet avant.

Le personnel et les bénévoles du centre se préparent pour une autre nuit de mobilisation contre le froid. Ils s'affairent à installer des rangées de lits de camp, puis ils distribuent oreillers et couvertures dans la salle centrale. L'accueil est plus bondé que d'habitude, c'est pourquoi je dois me frayer un chemin parmi les gens et les matelas pour atteindre le fond de la salle, où j'ai aperçu monsieur Donovan discuter avec un client.

— Robyn, me dit-il une fois son entretien terminé, j'ai déjà mis Ben au courant et c'est à ton tour de l'apprendre.

— Apprendre quoi ?

— Grâce à ce que vous avez fait, Ben et toi, nous avons reçu de généreux dons en argent.

— C'est vrai ?

Je lui avais remis plus tôt les billets de vingt dollars que l'homme m'avait donnés devant l'édifice à bureaux.

— J'ai reçu un don de mille dollars de la part d'une juge. Et un homme – un monsieur Franklin – nous a envoyé un chèque encore plus généreux. Il a mentionné ton nom et ajouté que ce que vous faisiez était admirable.

Je reconnais ce nom. C'est celui de l'homme qui m'a remis sa carte professionnelle en nous demandant de le mettre au courant au cas où nous réussirions, Ben et moi, à résoudre notre « petite énigme ». Après le don qu'il vient de faire, je me jure bien de lui rendre ce service.

— C'est fantastique, monsieur Donovan. Écoutez, je me demandais si…

— Excusez-moi, m'interrompt une voix.

C'est un bénévole qui nous demande de lui faire de la place pour installer deux autres lits de camp.

— Allons dans mon bureau, m'invite monsieur Donovan.

Nous devons nous frayer un chemin jusque-là. Il y a maintenant des lits de camp partout et certains sont déjà occupés. Je m'étonne du nombre de visages que je peux reconnaître : Andrew, certains des hommes que j'ai vus fumer dehors, l'homme qui porte tous ses vêtements sur lui de crainte de se les faire encore voler, l'homme à la tuque noire que j'ai aperçu aux obsèques, et même Aggie, qui me regarde avec hostilité et maugrée entre ses dents. Elle ne m'a toujours pas pardonné d'avoir mis ses propos en doute.

Nous pénétrons dans le bureau, mais monsieur Donovan laisse la porte grande ouverte de manière à pouvoir surveiller les opérations.

— Que puis-je faire pour toi, Robyn ?

Je lui tends la petite photo ovale qu'Aisha m'a remise et j'observe attentivement sa réaction alors qu'il l'examine.

— Suis-je censé connaître ce garçon ? me demande-t-il.

— Le reconnaissez-vous ?

Il scrute de nouveau la photographie.

— Tu ne t'attends pas, par hasard, à ce que je te dise que ça ressemble à la version plus jeune de monsieur Duffy ?

Je sens l'excitation me gagner.

— Voyez-vous une ressemblance ?

Il soulève les épaules.

— Désolé, mais je n'en vois aucune.

— Et vous n'avez jamais vu cette photo auparavant ?

— Non.

— Et cette bague ?

Je lui montre la chevalière, mais il secoue la tête.

— Désolé, Robyn, mais c'est la première fois que je les vois, l'une comme l'autre.

J'avais espéré une autre réponse, sans toutefois vraiment y croire.

Je n'ai pas plus de succès auprès de Betty. Je balaie la grande salle du regard à la recherche d'Andrew.

— Est-ce que ça te dit quelque chose, Andrew ?

Il examine attentivement la petite photo ovale et la bague, puis fait non. Devant ma mine déçue, il me regarde d'un air contrit.

— Ce n'est pas la bonne réponse, hein ?

— Pas celle que j'espérais. Quelqu'un m'a donné ces objets. Ils appartenaient à monsieur Duffy et j'ai pensé qu'ils pourraient peut-être nous apprendre quelque chose.

Je regarde autour de moi. Il y a foule à présent. Je me demande s'il est possible que monsieur Duffy ait montré la photo et la bague à une des personnes présentes.

— Veux-tu que je fasse le tour ? me demande Andrew en marmonnant comme à son habitude. Les gens me diront peut-être des choses qu'ils ne te diront pas à toi.

— Ferais-tu ça pour moi ?

Il commence à sourire pour aussitôt dissimuler sa bouche derrière sa main.

Il prend la bague, la photo et amorce son circuit. Je le suis des yeux et le vois parler à tout le monde : aux fumeurs, à Aggie, à l'homme à la tuque noire ainsi qu'aux bénévoles occupés à distribuer couvertures et oreillers. La plupart secouent la tête. Quelques personnes à qui Andrew s'adresse tournent les yeux vers moi. Soudain, un homme arrache la bague des mains d'Andrew pour s'enfuir à toutes jambes en direction de la porte d'entrée. Andrew s'élance à ses trousses. Je me précipite à mon tour derrière lui et m'arrête net sur le perron extérieur. Andrew a rattrapé le voleur et les deux hommes se disputent âprement. L'homme me regarde par-dessus l'épaule d'Andrew – il a un œil tout blanc. Il me toise d'un air méchant comme il l'avait fait la première fois que je lui avais parlé de monsieur Duffy. J'entends Andrew mentionner la police. L'homme pousse un juron mais finit par lancer la bague à Andrew avant de s'éloigner. Andrew fait demi-tour pour me rejoindre.

— Je n'aime pas ce type, me dit-il. Il est cinglé et cherche tout le temps à voler les autres.

Nous rentrons et Andrew reprend sa tournée là où il l'avait interrompue.

— Personne ne sait quoi que ce soit, finit-il par m'annoncer après avoir consulté tout le monde.

Il a l'air encore plus déçu que moi.

— Merci quand même.

Je glisse la bague et l'enveloppe dans ma poche de manteau et lui dis au revoir.

Comme d'habitude, un petit groupe d'hommes stationne devant l'entrée. Et comme d'habitude, la plupart fument des cigarettes roulées à la main. Et comme d'habitude, ils ne me prêtent aucune attention, à l'exception du borgne, qui suit tous mes mouvements quand je descends les marches. Je me dis que c'est probablement son œil mort qui lui donne cet air menaçant. Je passe près de lui en serrant dans mon poing la bague et l'enveloppe. Je prends la direction de mon arrêt d'autobus quand je vois une des fourgonnettes du centre s'engager sur le terrain de stationnement avec une cargaison de bénéficiaires. Eileen descend avec les passagers. Je rebrousse chemin pour aller lui montrer la photo. Elle se contente de bouger la tête après l'avoir examinée. Je pousse un soupir et regagne le trottoir, où je croise l'homme à la tuque noire que j'avais vu aux obsèques. J'ai dû me tromper sur son compte – c'est sûrement un bénévole, et non un itinérant, car je le vois monter dans une voiture et s'éloigner.

Je marche jusqu'à l'abribus, qui est désert. Il fait noir et terriblement froid ; je suis fatiguée et je meurs de faim. Je consulte ma montre, puis l'horaire de l'autobus affiché dans l'abri. Génial ! Je viens juste de le manquer et j'ai dix minutes à attendre avant le prochain. Je croise les bras contre ma poitrine et me mets à battre la semelle pour ne pas avoir les orteils gelés.

Quelqu'un entre dans l'abribus. C'est encore le type borgne. Il me lorgne de son œil intact. Est-ce encore la bague qu'il convoite ? Pense-t-il pouvoir s'en emparer à présent que je suis seule ?

Je referme les doigts sur la bague et la photo dans ma poche, puis scrute nerveusement la rue dans les deux sens, dans l'espoir de voir un passant approcher de l'abribus. Peu importe qui, du moment qu'il y ait quelqu'un dans les parages.

Personne en vue.

Le type continue à me dévisager.

Je me détourne et fais mine d'ignorer sa présence. Il se rapproche de moi. Je me crispe. Il s'approche encore et me bloque la sortie. Du coin de l'œil, j'aperçois la vapeur de son haleine. Je décide de sortir de l'abri.

— Excusez-moi.

Le type ne bronche pas. Je me faufile en le contournant et m'éloigne de l'abribus en pressant le pas. Je me force à garder mon calme. Si Andrew a déclaré que ce gars était fou, il n'a pas dit pour autant qu'il était dangereux. Peut-être attend-il réellement l'autobus. Peut-être qu'il ne me suivait pas. Je jette un regard par-dessus mon épaule.

L'homme m'a emboîté le pas.

Je presse encore l'allure.

J'entends ses pas se précipiter.

Je tourne encore la tête. Il est juste derrière moi, et il n'y a pas un chat dans les parages.

Une automobile arrive dans ma direction. Une voiture avec un petit dôme lumineux sur le toit. Un taxi.

Je lève la main. Le taxi se gare au bord du trottoir et je m'engouffre à l'intérieur.

— Où va-t-on ? demande le chauffeur.

Je lui indique l'adresse de mon père.

Le taxi se gare devant l'immeuble de mon père et je demande au chauffeur de m'attendre, le temps d'aller chercher de quoi régler la course. Je descends, mais le chauffeur descend à son tour et m'empoigne le bras. Il m'a peut-être mal comprise. À moins qu'il craigne de me voir déguerpir sans l'avoir payé.

— Je reviens tout de suite, lui dis-je encore.

Il ne me lâche toujours pas.

Heureusement, Lauren, l'hôtesse de La Folie, m'a aperçue sur le trottoir et elle est allée chercher mon père, attablé à sa place habituelle. Il sort précipitamment dans la nuit glacée, sans manteau ni veston sur le dos, et règle la course. Puis il m'entraîne à l'intérieur du restaurant, où il était en train de siroter un cognac après son repas en compagnie de son associé Vern Deloitte.

— On parlait justement de toi, Robyn, dit Vern quand mon père et moi arrivons à la table.

— Ah oui ?

— Mac me parlait de cet itinérant qui est mort de froid. Il paraît que tu t'es engagée dans le bénévolat ? C'est la saison pour ça.

Je hoche distraitement la tête. Je suis encore trop secouée et ne peux m'empêcher de braquer les yeux vers la vitrine du restaurant, craignant de voir le borgne réapparaître.

— Ça va, Robbie ? demande mon père.

— Hein ?

Il m'observe intensément.

— Tu n'arrêtes pas de regarder dehors. Et tu trembles comme une feuille.

— C'est à cause de ce type qui me suivait. C'est pour cette raison que j'ai pris un taxi.

Le visage de mon père s'assombrit.

— Quel type ? Et tu dis qu'il te suivait ?

Il déboutonne mon manteau et m'aide à l'ôter. Et je prends conscience que ma main n'a pas lâché la bague et la petite photo. Je les pose sur la table et retire mes gants.

— Je crois que c'est ça qu'il voulait. Il a essayé de piquer la bague quand Andrew a fait le tour du centre d'accueil pour la montrer à tout le monde.

Mon père regarde la chevalière et la photo en plissant le front.

— Il vaudrait mieux que tu reprennes tout depuis le début, Robbie. À qui appartient cette bague, qui est cet Andrew et pourquoi la montrait-il aux autres?

— Andrew est un habitué du refuge. Il montrait la bague et la photo à la ronde pour savoir si quelqu'un les avait déjà vus. Monsieur Duffy les avait confiées à la garde de quelqu'un et j'essayais de savoir s'il s'agissait d'une photo de lui quand il était jeune.

— Monsieur Duffy est le sans-abri qu'on a trouvé mort de froid, précise mon père à l'intention de Vern.

Vern examine la photo sous tous les angles. Il jette un bref coup d'œil à mon père par-dessus la table, la mine grave à présent. Deux anciens policiers qui braquent leurs antennes.

— Parle-moi de l'homme qui te suivait, me dit mon père.

— Andrew l'a rattrapé pour l'obliger à rendre la bague et ensuite, ce type m'a suivie jusqu'à l'arrêt d'autobus. Il ne me lâchait pas d'une semelle. Il cherchait à m'intimider et je me suis éloignée. Il a recommencé à me suivre. J'ai sauté dans le premier taxi qui est passé.

Je prends soudain conscience que je n'ai plus aucune raison d'avoir peur.

— Il était à pied. Jamais il n'aurait pu me suivre jusqu'ici. Il m'a vraiment fichu la frousse, papa. Mais ça va mieux, à présent.

Mon père semble se détendre un peu. Vern avale le reste de son cognac et se lève.

— Veux-tu que j'aille vérifier si ce type traîne dans les parages, Mac ?

Mon père secoue la tête.

— Je pense que Robbie a raison. S'il était à pied, il n'a pas pu la suivre jusqu'ici. Je crois que tout danger est écarté.

— D'accord, répond Vern. Fais bien attention à toi, Robyn. Et sache que j'admire beaucoup ce que tu fais. Sincèrement.

Je le remercie. J'ai beaucoup d'affection pour Vern. Il est comme un oncle pour moi. Il me connaît depuis mon enfance et il a toujours été aussi fier de moi que mes parents.

— Appelle-moi si tu as besoin de quoi que ce soit, Mac.

— As-tu soupé, Robbie ? me demande mon père une fois Vern parti.

— Non.

Mon père lève la main pour appeler un serveur et je commande un plat.

— Raconte-moi exactement ce qui s'est passé, me dit-il pendant que nous attendons.

Je lui explique sans rien omettre comment la bague et la photo sont entrées en ma possession et lui précise que je suis retournée au centre d'accueil pour vérifier si quelqu'un les avait déjà vus. Quand j'arrive à la fin de mon récit, mon cœur s'est calmé et je n'ai plus l'impression d'avoir des blocs de glace à la place des mains et des pieds. Le serveur arrive avec ma commande. J'attaque mon plat pendant que mon père examine attentivement la bague.

— Ça vient d'un collège, dit-il. Je me souviens qu'il a déjà existé une académie St. Mark's ici. Une école de garçons.

— Déjà existé ? Tu veux dire qu'elle n'existe plus ?

J'avais espéré que les gens de l'école en question puissent m'aider à en apprendre un peu plus sur monsieur Duffy – à supposer qu'il ait, à une certaine époque, fréquenté cet établissement.

— Ils en ont fait une école mixte il y a une vingtaine d'années et le nom a changé. Je crois que ça s'appelle le collège Ashdale, aujourd'hui.

Le collège Ashdale ?

— Mais Ashdale est une école de garçons, papa.

— Leur expérience de mixité n'a pas marché. Le collège est redevenu non mixte au bout de deux ans. Tu es sûre que cette bague appartenait à monsieur Duffy ?

— Il l'a confiée à Aisha, avec la photo, pour qu'elle les mette en lieu sûr. J'en déduis qu'il y attachait de la valeur.

Mon père inspecte la petite photographie.

— Cette coupe de cheveux était à la mode il y a bien longtemps. Et cette cravate... Je dirais que cette photo a été prise il y a quarante, peut-être cinquante ans. Crois-tu que ce soit une photo de monsieur Duffy quand il était jeune ?

— Je l'espérais. Mais je n'ai trouvé personne qui ait pu trouver la moindre ressemblance.

— Cette photo a une forme inhabituelle, tu ne trouves pas ?

Je me suis déjà posé la question. On dirait que quelqu'un l'a découpée – peut-être pour l'insérer dans un médaillon.

Un téléphone sonne. Le cellulaire de mon père.

— Excuse-moi une minute, Robbie.

— Pas de problème.

À vrai dire, j'ai moi aussi un coup de fil à donner. Je sors mon cellulaire et compose le numéro de Ben. Il paraît surpris de mon appel. Et encore plus étonné quand je lui demande si son collège est ouvert la semaine prochaine ou s'il a déjà fermé ses portes pour les vacances de Noël.

— C'est fermé, répond-il.

Il doit percevoir ma déception, car il ajoute aussitôt :

— Je veux dire, il n'y a plus de cours et la plupart des profs ont déjà pris congé. Mais je sais qu'il y a encore quelqu'un sur les lieux. Je dois justement y aller demain matin ramasser des jouets pour l'arbre de Noël.

— L'arbre de Noël ?

— Ashdale et un autre collège organisent tous les ans une distribution de jouets – tu sais, pour les enfants des milieux défavorisés. Je suis censé apporter les jouets recueillis à Ashdale à l'autre école pour la corvée d'emballage.

— La corvée d'emballage?

C'est bien la première fois que j'entends cette expression.

— Penses-tu qu'il y aura quelqu'un de l'administration?

— Eh bien, je sais que monsieur Thorson sera là. C'est le directeur. Pourquoi?

— À quelle heure y vas-tu?

— Le plus tôt possible.

— Est-ce que je peux t'accompagner?

— Qu'est-ce qui se passe, Robyn?

— Je pense avoir trouvé une piste, Ben. Du moins je l'espère. Je te montrerai ça demain.

Nous nous donnons rendez-vous devant le collège à neuf heures le lendemain matin.

Une fois mon cellulaire fermé, j'engouffre mon repas, puis je récapitule à l'intention de mon père tout ce que nous avons pu découvrir sur monsieur Duffy, Morgan et moi. Il fait bon dans le restaurant et je me sens détendue et en sécurité.

— Tu m'impressionnes, me dit mon père en souriant. N'en dis rien à ta mère, mais si jamais tu décidais de faire carrière dans la police, tu passerais enquêtrice en un clin d'œil. Tu as ça dans le sang.

Je souris à mon tour.

— Tout ce que je sais, je l'ai appris de toi, papa.

— Ne va pas non plus dire ça à ta mère.

Son téléphone sonne encore.

— Tara? répond-il, visiblement réjoui. Non, laisse tomber les excuses. Qu'est-ce que je peux faire pour toi?

Tara? S'il a prévu quelque chose avec elle, je ne tiens pas à me retrouver dans son chemin.

— Il faut que je file, papa.

Je me lève.

— Un instant, dit mon père à son interlocutrice avant de lever les yeux vers moi. Tu t'en vas? Où ça?

— À la maison.

Mon père me regarde d'un drôle d'air.

— À la maison? Mais je croyais que tu passais la nuit chez moi.

Je baisse les yeux sur son téléphone.

— J'ai oublié quelque chose... euh... il faut que je rentre, papa.

Je ramasse la bague et la photo pour les mettre en sûreté dans mon sac.

— Accorde-moi une minute, je vais te reconduire.

— C'est bon, papa. Je peux rentrer par mes propres moyens.

— Laisse-moi au moins te payer la course en taxi, dit-il en me glissant quelques billets dans la main. Prends un taxi. J'insiste. Demande à Lauren de t'en appeler un.

— Papa, arrête de t'inquiéter.

Mais j'accepte l'argent que je glisse dans ma poche tandis que mon père reprend sa conversation téléphonique. En arrivant à l'entrée du restaurant, je trouve Lauren occupée à placer une nuée de clients qui viennent d'arriver en même temps. Je ne tiens pas à l'embêter.

La rue est tranquille. Deux automobiles passent, mais aucun taxi n'apparaît. Je décide de marcher jusqu'au prochain carrefour. La circulation y sera plus dense et j'aurai davantage de chances de croiser un taxi.

Je suis à environ un coin de rue du restaurant quand je sens soudain une secousse sur la lanière de mon sac. Aussitôt après, il me glisse de l'épaule. La bandoulière a été sectionnée. Je n'ai pas encore tourné la tête que des mains me poussent brutalement dans une ruelle obscure. J'aperçois un visage dissimulé sous un passe-montagne. L'homme a un couteau à la main. Je regarde fixement la lame, hypnotisée. Une lame effilée, aussi tranchante qu'un rasoir.

12

J'ouvre la bouche. Je n'ai pas l'intention de crier – je sais qu'il serait stupide d'émettre le moindre son dans les circonstances. Mais j'ouvre quand même la bouche et c'est probablement ce qui pousse l'homme à me frapper. Je m'effondre par terre, à moitié assommée mais encore consciente. Je sens des mains me fouiller brutalement, plonger dans mes poches, les retourner et en sortir tout le contenu. Puis elles me plaquent au sol, sur le ventre cette fois. Je reste longtemps immobile, trop terrifiée pour oser le moindre mouvement.

Rien ne se passe.

Je risque un œil alentour.

L'homme a disparu.

Je me relève tant bien que mal. J'ai la joue endolorie. Je tâte le pansement qui protège mes points de suture, craignant que le coup n'ait rouvert la plaie. Le pansement est sec. Mon téléphone traîne par terre un peu plus loin. Je le récupère et le glisse dans ma poche.

L'argent que m'a donné mon père s'est envolé. Je retourne à La Folie d'un pas mal assuré.

Mon père parle encore au téléphone mais interrompt sa conversation sitôt qu'il m'aperçoit. À voir son expression, j'en déduis que je dois avoir la mine aussi déconfite que le moral. J'ignore comment il réussit à franchir aussi vite la distance séparant sa table de l'entrée du restaurant, mais il se matérialise devant moi en une seconde. Il m'enveloppe de ses bras, me conduit jusqu'à la porte et m'escorte dans les escaliers jusque chez lui. Il m'oblige à tout lui raconter en détail, puis il passe un coup de fil. Nous n'avons pas à attendre longtemps avant que deux agents en uniforme sonnent à la porte. Mon père me fait répéter à leur intention tout ce que je viens de lui raconter.

— Ce pansement que tu as sur le visage, c'est ton voleur qui t'a fait ça ? me demande l'un des agents.

Je fais non et lui explique la cause de cette blessure.

— Crois-tu que l'homme qui t'a dévalisée près du restaurant est le même que celui qui t'a suivie jusqu'à l'abribus ?

— Je ne sais pas. Je n'ai pas pu bien voir.

— Il portait un passe-montagne, précise mon père d'un ton amer.

— Et l'homme de l'abribus ? reprend le policier. Peux-tu nous le décrire ?

Je tente d'en donner un portrait exact. Ils prennent ma description en note et me posent d'autres questions sur ce que j'ai pu voir après être sortie du restaurant. Puis ils referment leurs calepins et se lèvent. Mon père les raccompagne jusqu'à la porte d'entrée et discute encore quelques minutes avec eux avant leur départ.

— Ils vont aller se renseigner sur le gars qui t'a suivie jusqu'à l'arrêt d'autobus, me dit-il.

Il me prend le menton d'une main et lève mon visage pour mieux l'examiner.

— Tu vas avoir un bleu, me dit-il en plongeant ses yeux gris fumée dans les miens. J'aurais dû aller te reconduire chez ta mère.

— Quand j'ai vu ce couteau…

— N'y pense plus, Robbie. Tu es en sécurité à présent.

Il tend la main vers mon manteau.

— Allez, viens. Je te ramène chez ta mère, ajoute-t-il.

— Et si les policiers trouvent quelque chose ?

— Si c'est le cas, je te tiendrai au courant.

— Et s'ils veulent encore me parler ?

— Ils te contacteront.

— S'ils appellent à la maison… ou pire encore, s'ils se pointent, maman va encore paniquer. Elle ne me laissera plus venir ici toute seule.

— Robbie, ta mère a le droit de savoir…

— Elle m'a déjà fait toute une histoire à propos de ce qui s'est passé au centre d'accueil. Je t'en prie, papa. Ça va mieux, je te jure. À quoi bon l'inquiéter davantage ?

Il me tend toujours mon manteau, sans pour autant m'aider à l'enfiler.

— Il faudra que tu lui dises.

— Elle sait déjà que j'avais prévu dormir ici.

— Ne m'as-tu pas dit que tu avais oublié quelque chose là-bas ?

— Rien d'important. S'il te plaît, papa. Tu la connais.

Mon père hésite.

— Mais tu dois me promettre que tu lui raconteras ce qui t'est arrivé quand tu la verras, finit-il par dire. Quand elle va voir ce bleu…

— Je vais lui dire, je t'en donne ma parole. Mais pas ce soir. D'accord, papa ?

Il finit par accepter à contrecœur.

Après un long bain chaud, je me pelotonne dans le canapé et allume la télé. J'ai pratiquement abandonné tout espoir de revoir les policiers quand l'interphone se met à sonner. Mon père se lève pour aller répondre. Un instant plus tard, il ouvre la porte pour faire entrer les deux agents. L'un d'eux tient mon sac dont la bandoulière, sectionnée au milieu, pend lamentablement.

— Où l'avez-vous trouvé ?

— Dans une ruelle à deux pâtés de maison d'ici, me répond le policier. C'est le coup classique. Les voleurs à la tire arrachent le sac et s'enfuient à toutes jambes. Quand ils se croient hors de danger, ils raflent tous les objets de valeur et se débarrassent du sac. Ton porte-feuille y est encore.

Je tends la main vers mon sac. Le policier secoue la tête.

— Nous allons le garder un moment, me dit-il. Comme pièce à conviction. Même chose pour ton porte-feuille. Au cas où on pourrait déceler des empreintes.

— Mais il portait des gants. Le type qui m'a agressée portait des gants.

— Les voleurs à la tire ne sont pas exactement des génies. Si tu savais combien de types portent des gants pour commettre leur forfait et font ensuite un geste stupide, du genre les ôter pour fouiller le sac plus à l'aise. Ça vaut la peine de vérifier. Si on trouve quelque chose, on t'en avisera. Je peux te rendre tes papiers d'identité, mais tu devras signer un reçu. Avais-tu de l'argent dans ton portefeuille ?

Je fais signe que oui.

— Eh bien, j'espère pour toi que ce n'était pas une grosse somme parce qu'il a disparu. Des cartes de crédit ?

— Non.

— Autres objets de valeur ?

— Il y avait une bague en or dans le sac. Et une photographie. Est-ce qu'elles y sont encore ?

— Non, dit le policier.

— En êtes-vous sûr ?

— Sûr et certain. J'ai inventorié moi-même le contenu.

Il me montre la liste qu'il a dressée.

— Il y a d'autres trucs qui manquent. Du brillant à lèvres. Du fard à joues.

— Il peut les avoir jetés.

— Et il peut avoir jeté la bague aussi ou la photo.

En quoi une vieille photo pourrait-elle intéresser un voleur à la tire ?

— Et où exactement avez-vous retrouvé mon sac ?

Le policier me décrit l'endroit et mon père branle la tête.

— Je vois de quelle ruelle tu parles, dit-il.

— Nous avons retrouvé le sac à peu près à mi-chemin, dit le policier. Une vraie décharge publique. Il est possible que tes produits de beauté soient quelque part. La photo aussi. Mais une bague en or ? J'en doute. On peut quand même retourner vérifier.

— Laisse, lui dit mon père. Je vais m'en charger.

Le policier acquiesce. Il plonge la main dans sa poche pour en sortir une photo polaroïd.

— Est-ce bien le gars qui t'a suivie du centre d'accueil jusqu'à l'arrêt d'autobus ?

J'examine la photo. L'homme a un œil noir et l'autre d'un blanc laiteux.

— C'est lui.

— Eh bien, ce n'est pas lui qui t'a agressée près d'ici, dit le policier. Le directeur du refuge a déclaré que cet homme était sorti griller une cigarette tôt dans la soirée – à peu près à l'heure où tu as quitté les lieux pour aller prendre ton bus. Il était de retour quinze minutes plus tard et a passé toute la soirée sur place.

— Il en est sûr ? demande mon père.

— Il me l'a affirmé. Tout comme la femme qui travaille en cuisine. Plusieurs autres personnes ont attesté qu'il n'était pas sorti de la soirée.

Les deux policiers se lèvent.

— Nous allons vérifier la présence d'empreintes sur ton sac et ton portefeuille. Si on en trouve, on comparera avec ce qu'on a dans notre base de données.

Le second policier, celui qui a gardé le silence durant les deux visites et qui a surtout pris des notes, me tend ma carte d'élève, ma carte d'assurance-maladie, ma carte de bibliothèque et mon laissez-passer de transport en commun. Il me fait signer à côté de chaque article de sa liste. Puis son collègue et lui s'en vont.

— Que dirais-tu d'une tasse de thé ? me demande mon père.

J'enfile mes bottes et mon manteau.

— Et que dirais-tu de me montrer où se trouve cette ruelle ?

— Robyn, il est près de minuit. S'il y a quoi que ce soit là-bas, ça attendra bien à demain, fais-moi confiance.

— S'il te plaît, papa. Si la bague y est encore, je ne veux pas risquer que quelqu'un la trouve. C'est peut-être important. Tu n'es pas obligé de m'accompagner si tu n'en as pas envie.

J'espère toutefois qu'il va en avoir envie. L'idée de retourner toute seule dans cette ruelle ce soir n'a rien de rassurant.

— Dis-moi seulement où est cette ruelle.

Je boutonne mon manteau et enfile mes gants.

Mon père se lève en poussant un soupir.

— Quelle tête de mule tu fais. Parfois, je me demande de qui tu tiens le plus – de ta mère ou de moi.

À son tour, il enfile ses bottes et son manteau, puis sort deux torches électriques d'un tiroir. Nous remontons la rue jusqu'à la ruelle que nous ont signalée les deux agents et passons près d'une heure à fouiller parmi les poubelles, les boîtes jetées au rebut et les détritus. Je retrouve mon fard à joues. Mon père déniche mon bâton de brillant à lèvres. Mais pas de trace de la bague ni de la photo. La chose ne nous étonne ni l'un ni l'autre. Mais ce n'est pas mon père le plus dépité des deux.

Après une nuit pratiquement blanche, je vais rejoindre Ben le lendemain matin comme convenu. Il m'attend sur le trottoir devant un immeuble moderne dans un des quartiers les plus huppés de la ville. La météo n'a pas changé. Il fait encore un froid de canard. J'ai enfoncé ma tuque sur mes oreilles et enroulé une longue écharpe de laine autour de mon cou, avec un tour supplémentaire pour me protéger le menton. Je lève les yeux et contemple l'édifice d'acier et de verre.

— C'est ça, le collège Ashdale?

J'en ai entendu parler, mais je ne l'avais jamais vu de mes propres yeux.

— À quoi t'attendais-tu? À des tours gothiques et des murs couverts de lierre?

— Quelque chose dans ce style-là.

Je m'attendais certainement à une architecture beaucoup plus ancienne.

— Mon père a dû se tromper. Il m'a dit que cet établissement avait déjà porté le nom d'académie St. Mark's.

— C'est exact.

— Dans ce cas, il doit en exister plusieurs, parce que le collège que je cherche existait il y a quarante ou cinquante ans.

Si monsieur Duffy l'a fréquenté dans sa jeunesse, il doit être plus ancien, bien plus ancien que l'immeuble que j'ai à présent sous les yeux.

— Ce bâtiment semble bien plus moderne.

— C'est un fait. Il était censé au départ s'ajouter à l'académie St. Mark's.

— Censé ?

— Il y a eu un incendie, répond Ben. Peu de temps après la construction de l'aile moderne.

— Un incendie ?

Voilà qui n'annonce rien de bon.

— Ils ont dû raser l'ancien corps de bâtiment et agrandir la nouvelle aile. Mon père a participé à la collecte de fonds. Mais qu'est-ce qu'on fait ici, Robyn ? Tu m'as dit que tu avais une piste concernant monsieur Duffy. As-tu trouvé quelque chose en rapport avec St. Mark's ?

Quand je lui ai annoncé hier soir que j'avais une piste, je comptais bien lui montrer la photo et la bague. Mais je ne les ai plus. Tout ce que je peux faire, c'est de lui en parler.

— Beau travail, fait-il. Je peux les voir ?

— Je crains que non. On me les a volées.

Il écarquille les yeux.

— Volées ?

— La nuit dernière. Je me suis fait agresser.

— Agresser ? T'a-t-on fait mal ?

Je tourne la tête et abaisse mon écharpe pour lui montrer l'ecchymose.

Il écarquille encore plus les yeux.

— Et ça va?

— Ça va.

Du moins pour l'instant. J'avais aussi cru que ça irait chez mon père cette nuit, après le départ des policiers. Mais j'ai eu du mal à trouver le sommeil. Je n'ai pas cessé de me tourner et de me retourner dans mon lit au point d'entortiller les draps, hantée par l'image du couteau.

— As-tu appelé la police? Ont-ils mis le grappin sur ton agresseur?

— Oui. Et non. Ils ne l'ont pas attrapé. Pas encore, en tout cas.

— Tu crois que cette bague signifie que monsieur Duffy a déjà étudié à St. Mark's?

— Peut-être, dis-je, même si j'ai du mal à l'imaginer. À moins qu'elle ait appartenu à quelqu'un qui lui était cher. Je ne le sais pas avec certitude. Mais il avait dit à Aisha qu'il ne voulait pas se faire voler la bague et la photo. Il devait donc y attacher de la valeur.

Une bourrasque glacée me fait frissonner.

— Tu ne penses pas qu'on devrait entrer, Ben?

Il approuve d'un signe, s'engage dans l'allée et appuie sur la sonnette à côté de la porte d'entrée. Le hall est désert, mais j'aperçois un homme occupé à nettoyer le sol de l'autre côté des grandes portes. Il lève les yeux en entendant la sonnette, puis s'approche et vient nous ouvrir.

— Bonjour, Pete, le salue Ben en s'effaçant pour me laisser entrer.

— Tu n'es pas au courant ? répond Pete avec un sourire malicieux. L'école est fermée pour les vacances.

— Je viens ramasser les jouets pour l'arbre de Noël.

Ben désigne du menton une montagne de boîtes de carton empilées contre un des murs du hall.

— Je vais aller chercher un chariot, dit Pete. Ça ira plus vite.

— Merci. Je reviens dans quelques minutes. Je dois voir monsieur Thorton. Il est là ?

— Qui, à ton avis, a pris la peine d'apporter ces cartons ici ? Il est dans son bureau.

— Viens, me dit Ben.

Je lui emboîte le pas dans le couloir qui mène aux locaux administratifs, aussi déserts et silencieux que le reste du collège. Enfin, presque déserts.

— Ben, l'accueille avec le sourire l'unique occupant du bureau, un homme chauve vêtu sans façon d'un pantalon gris et d'un gros chandail. Il semble aussi ravi que Pete d'accueillir Ben.

— J'ai rangé tous les jouets dans le hall à ton intention. As-tu besoin d'un coup de main pour les charger dans ton véhicule ?

— Pete va m'aider. Mais merci quand même, monsieur Thorton.

Les yeux de monsieur Thorton passent de Ben à moi pour revenir vers Ben. Celui-ci saisit l'allusion et me présente.

— Robyn et moi espérions que vous pourriez nous fournir quelques renseignements, monsieur. Robyn a trouvé une bague qui pourrait peut-être venir du collège – à l'époque où il s'appelait l'académie St. Mark's.

— Avec plaisir, dit monsieur Thorton. Je peux la voir ?

— Je ne l'ai plus. On me l'a volée hier soir.

— Oh !

— Mais je peux vous en donner une description.

Je lui transmets tous les détails dont je peux me souvenir. Mais ce n'est que lorsque je dessine grossièrement le blason gravé sur le chaton qu'il se met à hocher la tête. Il se lève, gagne le mur derrière son bureau et décroche un diplôme encadré.

— Est-ce que ça ressemblait à ça ? me demande-t-il en posant le doigt sur le blason embossé dans l'épais papier du document.

— Exactement.

— Alors, ce doit être la chevalière d'un ancien de St. Mark's, dit monsieur Thorton. Si je ne me trompe pas, elle date de l'époque où le collège ne s'appelait pas encore Ashdale. Le nom a changé il y a vingt ans. J'ai accédé au poste de principal cette année-là.

Mon père avait donc raison, après tout. Et si c'est bien le collège, il y a peut-être des chances que monsieur Duffy y ait déjà étudié. Et si c'était un ancien élève, il doit exister un dossier quelque part qui pourra nous révéler quelque chose sur lui. À supposer, bien sûr, que...

— Ben m'a dit que le bâtiment d'origine avait brûlé.

— C'est vrai. Un incendie plutôt spectaculaire, explique monsieur Thorton. Un vrai malheur aussi. Le bâtiment original était plus que centenaire. Nous avons pu intégrer ce qui restait des vieux murs dans l'édifice moderne – un mélange d'ancien et de moderne qui fait d'ailleurs le pont entre les générations. Heureusement, le nouvel édifice était terminé et on allait attaquer les travaux de rénovation du vieux collège, si bien que nous n'avons pas eu à interrompre nos activités.

— Et les dossiers des élèves?

— Nous n'avons perdu que les anciens dossiers – tout ce qui remontait à plus de dix ans avant l'ouverture du nouveau collège, me répond monsieur Thorton.

Je sens ma gorge se nouer.

— Nous espérions trouver le dossier de l'homme à qui appartenait cette bague, dis-je.

— Quel âge avait-il? demande monsieur Thorton.

— Soixante, peut-être soixante-cinq ans.

Monsieur Thorton soulève les épaules.

— J'ai bien peur que tout ce qui date de cette époque ait disparu.

Génial.

— Y avait-il une date gravée sur la bague, Robyn? me demande Ben.

Je secoue la tête.

— Les chevalières de l'académie St. Mark's ne portaient pas de date, dit monsieur Thorton. Celles que l'on remettait avec le diplôme de fin d'études étaient datées, en revanche, et n'avaient pas la même forme. Si je me fie à ta description, je dirais qu'il s'agissait d'une bague d'élève, pas d'une chevalière de diplômé. Tous les garçons inscrits à l'académie St. Mark's en recevaient une. Il doit en exister des milliers en circulation. Que je sache, le style de bague n'a jamais changé.

Autrement dit, il est impossible de la rattacher à une promotion précise, et encore moins à un élève précis.

— Et la photo ? s'exclame Ben.

— Quelle photo ? s'étonne monsieur Thorton.

— J'avais en ma possession la photo d'un garçon. Elle ressemblait à une photo d'école. Elle m'a été volée en même temps que la bague. Mais je suis persuadée de pouvoir reconnaître ce visage si je le revoyais.

Une idée me traverse l'esprit mais avant que je puisse l'exprimer, monsieur Thorton secoue la tête.

— Tu dois penser qu'en consultant les photos des anciens annuaires, tu pourras peut-être le reconnaître.

Il a tout deviné.

— Désolé, Robyn. Mais ça aussi, c'est impossible.

— Vous voulez dire qu'il n'y a pas d'annuaires ? demande Ben, déçu.

— Seulement ceux d'Ashdale. Tous ceux de St. Mark's ont disparu depuis longtemps.

— Ils ont brûlé dans l'incendie ?

— Un dégât d'eau, me répond monsieur Thorton. Un accident sans rapport avec l'incendie, crois-le ou non. Les annuaires étaient entreposés au sous-sol du nouveau bâtiment, l'aile où vous êtes présentement. Nous avons eu un problème de plomberie la première année. Le sous-sol a été inondé. Tout ce qui s'y trouvait, y compris la collection des anciens annuaires qui devait plus tard se retrouver dans la bibliothèque de l'école, a été complètement ruiné. Nous espérions que certains des anciens élèves nous fassent don de leurs exemplaires personnels, de manière à reconstituer la collection, mais... ajoute-t-il en haussant les épaules. J'imagine qu'après un incendie et une inondation, ils n'ont pas voulu prendre de risques.

— Si bien qu'il n'y a aucun moyen de savoir à qui la bague a appartenu ou si le garçon de la photo a étudié ici ?

Monsieur Thorton semble sincèrement désolé.

— Je suis navré, me dit-il.

Pas autant que moi.

J'aide Ben et Pete à charger les boîtes dans la fourgonnette. Ben me dépose ensuite à l'arrêt d'autobus avant d'aller livrer les jouets à leur nouvelle destination.

— J'ai cru que nous avions vraiment mis le doigt sur quelque chose, dit Ben quand je tends la main vers la poignée de la portière. Tu parles d'une malchance, hein ?

— Ça valait quand même le coup d'essayer.

Je retourne chez mon père. Il est encore tôt. Morgan doit sûrement dormir et je décide de décompresser avant de ressortir. J'ai promis de donner un coup de main au centre cet après-midi.

En ouvrant la porte, j'entends de la musique dans le bureau de mon père.

— Papa?

Je pose mon manteau et mon sac sur un fauteuil avant d'aller le rejoindre.

Il n'est pas dans son bureau. C'est Tara qui occupe son fauteuil. Installée devant l'ordinateur de mon père, elle est si absorbée par ce qu'elle fait qu'elle ne semble pas remarquer ma présence. Je frappe à la porte pour attirer son attention. Elle sursaute et fait pivoter son fauteuil comme si je l'avais piquée avec une épingle.

— Robyn, fait-elle la main posée sur le cœur, tu m'as fait peur.

— Je cherchais mon père.

Les yeux exorbités, je regarde l'écran et l'image qui en occupe presque toute la surface. Il s'agit d'une photo de ma mère. Je contourne le bureau pour regarder de plus près. Il y a quelque chose de bizarre. C'est ma mère, sans aucun doute, mais ça ne ressemble à aucune photo d'elle que je connaisse. Je n'arrive pas à mettre le doigt sur ce qui cloche. Une sorte de décalage.

— Mac a dit qu'il avait quelqu'un à voir, dit Tara.

Elle consulte sa montre et s'étonne qu'il soit si tard.

— Rien de surprenant à ce que j'aie faim.

Elle lève encore les yeux vers moi.

— J'ai tendance à m'absorber un peu trop dans ce que je fais.

— Et on peut savoir ce que vous faites?

J'ai plutôt envie de lui demander ce que fait la photo de ma mère sur l'écran. Et de lui poser une autre question : quoi que vous fassiez, qu'est-ce que vous fabriquez dans le bureau de mon père ?

— Je fais du vieillissement de faciès à partir de photos. Mon ordinateur est tombé en panne il y a, oh, déjà deux semaines. Il est encore en réparation, crois-le ou non. Quoi qu'il en soit, ton père a eu la gentillesse de me prêter le sien – qui, soit dit entre nous, est dix fois plus puissant que ma vieille bécane.

— Du vieillissement de faciès ? Vous parlez de ce que fait la police quand elle essaie de reconstituer le visage adulte d'un enfant disparu des années plus tôt ?

— Enfants disparus, criminels en liberté, tout ce que tu veux.

Elle désigne l'écran.

— Je m'exerce sur des photos que ton père m'a données, des gens qu'il connaît.

Elle fouille sur le bureau et me tend une photo que je reconnais instantanément. C'est une photo scolaire de ma mère, qui devait avoir dix ans à l'époque. Tara me montre une autre photo – une version « premier de classe » de Ted à quatorze ou quinze ans, ce qui explique le portrait de lui que j'avais vu sur l'écran de l'ordinateur lors de ma première rencontre avec Tara. Je me demande où mon père a bien pu dénicher cette photo et si ma mère sait qu'elle est en sa possession.

— Je les ai vieillis et ton père a pu me dire si ma reconstitution était fidèle parce qu'il sait de quoi ils ont l'air aujourd'hui.

— Vous êtes policière ?

— Je suis anthropologue. Mon champ d'expertise est l'ostéologie humaine. C'est…

— L'étude des os humains, je sais.

Elle hoche la tête.

— Par l'entremise d'un de mes anciens professeurs, j'ai pu travailler un peu pour la police. Tu sais, identifier des os, donner une idée de l'âge qu'ils peuvent avoir, ce genre de choses. J'ai trouvé ça si intéressant que j'ai décidé de suivre d'autres cours. La reconstitution faciale me fascine. C'est un créneau que j'ai décidé d'explorer.

Oh !

Je regarde le visage de ma mère sur l'écran.

— Vous et mon père… êtes-vous ?…

Comment formuler avec tact la question que j'ai à l'esprit ?

Tara fronce les sourcils.

— Sommes-nous quoi ?

Je vois une expression d'horreur déformer son visage.

— Tu veux dire, si nous sommes ?… Tu penses que ton père et moi ?…

Elle secoue vigoureusement la tête.

— Je suis venue ici suivre un cours et mener une recherche terrain avec un spécialiste médico-légal de la reconstitution faciale qui est considéré comme l'expert en vieillissement et en rajeunissement de photos. Mac a eu la gentillesse de me faire visiter la ville et a offert de me prêter son ordinateur quand le mien m'a laissée en plan. Mais…

Elle semble encore mortifiée que j'aie pu aussi mal interpréter la situation.

— Je veux dire… Mon Dieu. Je l'ai connu toute ma vie sous le nom d'oncle Mac. Déjà que ce n'est pas facile d'avoir aujourd'hui à l'appeler Mac tout court, alors quant à…

Elle plisse le front.

— Oncle Mac ?

Je n'ai pas de cousines, que je sache.

— Ton père et le mien étaient collègues.

Je la regarde avec un intérêt nouveau.

— Votre père est policier ?

— Il l'était, répond-elle. Il a été tué en service il y a près de vingt ans.

Voilà qui peut expliquer pourquoi je ne la connais pas.

— Je suis désolée.

Elle hausse les épaules.

— J'avais sept ans quand c'est arrivé. Ma mère était complètement effondrée. Ton père et plusieurs collègues de mon père ont pris l'habitude de passer prendre des nouvelles, d'effectuer des travaux dans la maison et de nous emmener en promenade, mon frère et moi… ce genre de choses, dit-elle en souriant. J'ai eu plus d'oncles que n'importe qui. Et ton père était le plus gentil. Il a gardé le contact avec Brad – c'est mon frère – et moi, même après que maman s'est remariée quelques années plus tard et nous a emmenés à l'autre bout du pays. Je crois que c'est une des raisons pour lesquelles ce genre de travail m'intéresse : je veux maintenir la tradition familiale. Brad a choisi une tout autre voie. Il ne voulait rien qui ait un rapport avec le métier de policier. Il est devenu maître charpentier.

Je me demande pourquoi mon père ne m'a jamais parlé de Tara. Et je repense à ce qu'il m'a dit quand j'avais mentionné que je la trouvais plutôt jeune. « Elle a l'âge qu'il faut », m'avait-il répondu. L'âge que doit avoir la fille d'un vieux copain. Il s'est gentiment payé ma tête en me laissant croire qu'elle était plus qu'une simple amie. En espérant peut-être que j'en glisse deux mots à ma mère.

— J'allais me préparer une tasse de thé. En voulez-vous ?

— Avec grand plaisir, répond Tara avec un large sourire.

Je me dirige vers la cuisine et jette un coup d'œil en passant sur le répondeur de mon père. Pas de messages. Toujours aucune nouvelle de Nick.

13

Chaque année, l'accueil de jour offre un repas de Noël qui attire plus de cent cinquante itinérants. Au menu, de la dinde, des pommes de terre en purée, des pois et des carottes, avec de la farce au pain et à la sauge, de la sauce brune, des petits pains et du beurre, ainsi que de la tarte servie avec de la crème glacée au dessert. Une boulangerie du quartier fournit gratuitement les tartes. Tout le reste est cuisiné sur place. Certains accompagnements – la sauce, la farce et la purée – peuvent être préparés d'avance pour être congelés ou réfrigérés. Il s'agit d'un travail colossal et si Betty veut être prête à temps pour Noël, elle a besoin de toute l'aide qu'elle peut trouver. J'accroche mon manteau, ôte mes bottes pour enfiler une paire d'espadrilles et entre dans la cuisine. Je demande à Betty ce qu'elle veut que je fasse.

—Des oignons, me répond-elle. J'ai besoin qu'on m'émince des oignons.

Elle désigne un gros sac en filet posé sur le plancher.

— Combien faut-il en émincer ?

Je connais déjà la réponse.

— Le sac au complet.

Je m'installe près de l'évier. La proximité d'une source d'eau, je le sais, est la condition indispensable pour mener à bien l'opération. Je l'ai appris de Fred Smith, le patron de La Folie. Je lui avais un jour confié à quel point je détestais émincer des oignons pour ma mère. « Je finis invariablement par avoir les yeux gonflés et des larmes plein la figure », lui avais-je dit.

« Fais couler de l'eau sur tes poignets dès que tes yeux commencent à pleurer, m'avait-il conseillé. Ça marche comme un charme. Je te le garantis. »

J'ai essayé. Et ça a marché. Les oignons ne me font plus peur.

Je hisse le sac d'oignons sur le plan de travail à côté de ma planche à découper et me mets à la tâche. À ma surprise, Andrew s'installe quelques minutes plus tard à côté de moi pour couper en petits cubes des tranches de pain de la veille.

— Salut, Robyn, me dit-il en souriant sans montrer ses dents.

— Salut, Andrew. Ne me dis pas qu'on te fait travailler pour gagner ton souper ?

— Je me suis proposé comme bénévole, répond-il, visiblement fier de lui. C'est la chose à faire à cette période de l'année, non ?

— C'est vrai.

Une fois de plus, je me demande ce qui a amené Andrew à vivre dans la rue. Et une fois de plus, j'hésite à lui poser la question.

— Ouah, en voilà des oignons! s'exclame une voix derrière moi.

Je fais volte-face. C'est Ben, les bras chargés d'une pile de boîtes à gâteaux.

— Où voulez-vous que je range les tartes, Betty? demande-t-il.

— J'ai fait un peu de place dans un des congélateurs d'en bas. On va les congeler jusqu'au 24 décembre. On les sortira le 25 et on les réchauffera avant de servir. Robyn, pourrais-tu donner un coup de main à Ben?

Avec grand plaisir.

— Tu ne m'avais pas dit que tu venais aujourd'hui, Ben.

— Tu ne m'avais pas dit non plus que tu serais là.

Il faut deux voyages pour descendre au sous-sol toutes les tartes, que nous empilons soigneusement dans un des gigantesques congélateurs horizontaux. Je compte quarante boîtes au total, vingt tartes aux pommes et vingt tartes aux cerises. Une fois le rangement terminé, Ben me donne un coup de main pour émincer le reste des oignons et, sous la supervision de Betty, nous mélangeons une énorme quantité de farce au pain que nous rangeons ensuite dans des contenants en plastique qui iront tenir compagnie aux tartes dans le congélateur. Une fois bouclées toutes les tâches que Betty avait prévues pour la journée, Ben me propose de me reconduire chez moi.

— Tu habites ici ?

Nous sommes assis dans son auto, garée devant l'immeuble paternel.

— Mon père y habite.

— La Folie a une excellente réputation. Mon père y vient souvent. Est-ce que le restaurant appartient à ton père ?

Je secoue la tête.

— Il possède l'immeuble, mais pas le restaurant.

— Il travaille dans l'immobilier, alors ?

— Il a sa propre affaire. Une agence privée de sécurité. Il a déjà été policier.

Ben me regarde, impressionné.

— Mon père à moi fabrique et vend du mobilier et de la robinetterie de salles de bain, dit-il. Ce doit être drôlement excitant d'avoir un père qui travaille dans la police.

— Qui travaillait. Il n'était pratiquement jamais à la maison quand j'étais petite. Il travaillait tout le temps. Et quand il rentrait, il parlait rarement de son métier. Alors non, ce n'était pas vraiment excitant.

— Ouais, eh bien mon père, lui, il parle tout le temps de sa boutique. Crois-moi, j'en connais plus sur les accessoires de salle de bain que je le voudrais – bien plus que ce qu'il y a à savoir sur le sujet. Dis donc, Billy m'a raconté que tu avais été arrêtée l'été dernier. Une histoire en rapport avec une manif pour les droits des animaux.

— J'ai été arrêtée pour avoir essayé d'empêcher Billy de se faire arrêter.

— Alors ça, c'est excitant.

— On voit bien que tu n'as jamais été arrêté.

— Je n'ai jamais rencontré personne qui l'ait été, répond-il en souriant. Bon sang, je me suis vraiment trompé sur ton compte. Moi qui te mettais dans le même sac que les autres filles que j'ai fréquentées dans ma vie. J'avais tort. Tu n'as rien de commun avec les filles de St. Mildred's.

— C'est la deuxième fois que tu me parles des filles de ce collège. Comment se fait-il ? Les garçons d'Ashdale auraient-ils des droits exclusifs sur les filles de St. Mildred's ?

— C'est l'école sœur de notre collège. Apparemment, c'était la tradition pour les gars de St. Mark's de sortir avec ces filles. Et encore aujourd'hui, bien des gars d'Ashdale sortent avec des filles de St. Mildred's.

— Des fils à papa qui sortent avec des filles à papa, c'est ça ?

Ben hausse les épaules.

— Si tu veux. Ma mère a étudié à St. Mildred's, mon père à St. Mark's. Ils se sont connus pendant leur scolarité.

Il a dû deviner à quoi je pense parce qu'il ajoute :

— J'ai eu la même idée, moi aussi. Mais mon père a au minimum quinze ans de moins que monsieur Duffy. Leurs photos ne pourraient jamais se trouver dans les mêmes annuaires. D'autant plus qu'on ne sait pas si la bague appartenait vraiment à monsieur Duffy. Il a pu la trouver ou la piquer quelque part. En plus, tu m'as dit n'avoir vu aucune ressemblance sur la photo.

Je pousse un soupir et ouvre la portière.

— Merci de m'avoir raccompagnée.

— Robyn ?

Je me retourne vers lui.

— Aimerais-tu sortir avec moi un de ces soirs ? Au cinéma ou autre ?

— Quoi ?

Je dois avoir l'air si estomaquée que Ben rougit jusqu'aux oreilles, les yeux rivés à son volant.

— Je veux dire, est-ce que c'est permis ?

Il me regarde sans comprendre.

— Je n'étudie pas à St. Mildred's. Je n'étudie même pas dans un collège privé. D'après ce que tu m'as dit des filles de St. Mildred's, je croyais qu'elles avaient des droits exclusifs sur les garçons d'Ashdale. Tu sais, du genre tel père, tel fils.

Il se renfrogne.

— Je ne suis pas comme mon père, fait-il en fixant le volant.

Il prend une profonde inspiration.

— Alors, qu'en penses-tu ? Aimerais-tu sortir un soir avec moi ?

— J'aimerais bien.

Jamais je ne l'aurais admis, et surtout pas devant Morgan, mais je commence à le trouver sympathique. Il est gentil – du moins quand il ne vous considère pas comme une « deux-quatre ». Il est beau garçon. Il est attentif aux autres. Et il n'est apparemment pas du genre à déguerpir sans prévenir. Je fouille dans mon sac à la recherche d'un bout de papier pour lui laisser mon numéro de cellulaire.

— Appelle-moi, lui dis-je en descendant de la voiture.

À peine ai-je atteint la porte de l'immeuble qu'une idée me traverse l'esprit. Je rebrousse chemin en hâte et vais cogner à la vitre de sa portière jusqu'à ce qu'il la baisse.

— Les filles de St. Mildred's et les garçons d'Ashdale, est-ce qu'ils sortent ensemble parce qu'ils se connaissent déjà ?

— Ça arrive, répond Ben. Pourquoi ?

— S'ils ne se connaissent pas d'avance, comment font-ils pour se rencontrer ?

— Où veux-tu en venir ?

— À quelle occasion peuvent-ils faire connaissance ? Ben hausse les épaules.

— Par des amis communs. Au cours d'événements scolaires. Tu sais bien comment les gens se rencontrent.

— Mon école est mixte. Les garçons rencontrent les filles en classe, dans des clubs ou simplement dans les couloirs.

Ben se met à rire.

— Bon, d'accord. De toute évidence, ça ne marche pas comme ça chez nous. Les gens font connaissance par l'intermédiaire de quelqu'un ou par hasard. Sans compter que nos collèges organisent des événements conjoints, comme cela se faisait autrefois, mais pas exactement pour les mêmes raisons.

— Que veux-tu dire ?

— Ma mère m'a raconté qu'à l'époque de ma grand-mère, et même de son temps à elle, St. Mark's et St. Mildred's organisaient des bals ou des rencontres sociales dans le but précis de permettre aux filles de rencontrer les garçons de St. Mark's. Objectif : le mariage. Tu devrais voir les photos dans ses annuaires et dans ceux de mon père. Des gars en complet chic avec à leur bras des filles en robes de soirée.

Je sais précisément de quel genre de photos il parle. Tous les annuaires de collège que j'ai pu voir dans ma vie comptent des pages et des pages de photos de ce genre.

Ce qui me donne une idée.

— Il n'y a jamais eu d'incendie à St. Mildred's, hein ?

— Pas que je sache.

— Ni d'inondation du sous-sol ?

— Où veux-tu en venir, Robyn ?

Je lui explique à quoi j'ai pensé et il se frappe le front.

— J'aurais dû y penser moi-même, fait-il.

Je consulte ma montre.

— Crois-tu qu'on pourra trouver quelqu'un à St. Mildred's aujourd'hui ?

Ben secoue la tête.

— J'en doute, répond-il. Mais il y aura quelqu'un lundi, ajoute-t-il devant ma mine déçue. Et je connais le moyen de nous faire entrer.

— Vraiment ?

Il sourit.

— Je passerai te prendre.

Je consacre la journée du lendemain à l'activité préférée de Morgan : l'achat des cadeaux de Noël. À la fin de la journée, nous avons toutes les deux biffé presque tous les articles inscrits sur nos listes.

— Qu'est-ce qui te manque encore ?

— Le cadeau pour ma mère.

Ma mère est toujours la dernière sur la liste parce que je ne sais jamais quoi lui offrir et qu'elle se garde bien de me fournir des indices.

— Et Nick ? Que lui as-tu acheté ?

Je sens aussitôt monter une bouffée de colère.

— Rien ! Et si je lui achetais quelque chose, dis-moi donc ce que j'en ferais ? Où faudrait-il l'expédier ?

— Toujours pas de nouvelles, hein ?

— Tu ne crois pas que je t'en aurais déjà parlé, Morgan ? Pardonne-moi. Je ne voulais pas me montrer désagréable. Tu n'y es pour rien.

Ben passe me prendre un peu avant midi et nous nous rendons au collège St. Mildred's.

— Tu es sûr qu'il y aura quelqu'un ?

— Sûre et certaine. Je dois donner un coup de main pour livrer les jouets emballés à l'organisme que nous parrainons.

— Tu vas chercher à St. Mildred's les jouets que les élèves d'Ashdale ont recueillis ?

Je n'y comprends plus rien.

— Souviens-toi, je t'avais dit qu'Ashdale organisait chaque année une distribution de jouets avec une autre école. Eh bien, il s'agit de St. Mildred's. C'est la tradition chez les élèves et les anciens des deux établissements. Hier, j'ai apporté les jouets d'Ashdale à St. Mildred's et j'ai passé deux heures à les emballer.

Nous essayons la porte principale. Elle est verrouillée. Ben appuie sur la sonnette et nous attendons en grelottant que quelqu'un vienne nous ouvrir.

Personne n'apparaît.

Je tourne les yeux vers Ben, qui se balance sur les talons en fredonnant tout bas.

Toujours personne.

Ben se balance toujours en fredonnant.

J'aperçois soudain une silhouette se profiler dans le hall d'entrée. Un homme en salopette de travail s'approche de la porte principale et regarde dans notre direction. Un large sourire illumine son visage dès qu'il reconnaît Ben. Il attrape l'imposant trousseau de clefs attaché à sa ceinture. Son visage m'est familier.

— Ce ne serait pas Pete, par hasard, le concierge de ton collège ?

— Ouais. Il travaille à Ashdale et à St. Mildred's.

— Salut, Ben ! s'écrie Pete en poussant la porte pour nous laisser entrer. Tu es revenu donner un coup de main aux dames ?

Nous pénétrons dans un hall aux luxueuses boiseries.

— Est-ce qu'elles sont encore ici ?

— Elles ont presque fini. Nous allons pouvoir charger le tout très bientôt.

— Je suis venu justement pour ça, dit Ben.

— Elles sont dans la bibliothèque.

— Merci, Pete. Tu te souviens de mon amie Robyn ?

Pete me regarde et acquiesce.

— Elle m'aide à trouver des renseignements sur monsieur Duffy. Nous voulons profiter de l'occasion pour consulter les anciens annuaires de l'école.

Pete l'observe avec perplexité.

— Qu'est-ce que monsieur Duffy a à voir avec les annuaires du collège ?

— On ne sait pas trop, lui répond Ben. Nous ne savons même pas si nous sommes sur la bonne piste. Mais si nous trouvons quoi que ce soit, nous te tiendrons au courant.

Visiblement, Ben connaît bien les lieux. Il me conduit jusqu'à la bibliothèque.

— J'ai l'impression, à entendre Pete, qu'il a connu monsieur Duffy, dis-je à Ben.

— C'est le cas. Il y a quelques mois, Pete vivait encore dans la rue. J'ai fait sa connaissance au centre d'accueil.

Ah bon ?

— Et il travaille à présent comme concierge et de ton collège et de St. Mildred's? Est-ce une coïncidence?

Ben hausse les épaules.

— Pete a eu des problèmes dans le passé. Il est tombé malade. Tu sais, des problèmes de santé mentale. Sa vie a basculé et il s'est retrouvé dans la rue. Il a vécu des années plutôt terribles. Quand je l'ai rencontré, il essayait de remonter la pente. Il suivait des cours de rattrapage et de réinsertion dans un des centres communautaires. Il est diplômé en chimie.

— C'est vrai?

— Ça t'étonne, hein?

Il serait plus exact de dire que j'en suis abasourdie. Je suis aussi surprise d'apprendre que Pete possède un diplôme universitaire que je l'ai été quand j'ai découvert que monsieur Duffy lisait Dickens et des revues d'informatique. Je commence à penser que je devrais avoir l'esprit un peu plus ouvert.

— Il avait travaillé dur pour entrer à l'université, ajoute Ben. Et il a travaillé dur pour décrocher son diplôme. Et à présent, il travaille dur pour s'en sortir. Quand je l'ai connu, il était prêt à faire n'importe quoi pour être en mesure de louer son propre logement et reprendre sa vie en mains. Si bien que lorsque j'ai appris qu'Ashdale cherchait un concierge à temps partiel…

Il hausse encore les épaules.

— Tu l'as aidé à décrocher le poste?

— J'ai parlé de lui à monsieur Thorton, qui savait que je faisais du bénévolat au centre d'accueil. Il m'a dit qu'il aurait une entrevue avec Pete si celui-ci posait sa candidature, mais qu'il ne me promettait rien. Pete s'est vraiment bien débrouillé durant l'entrevue. Il a impressionné monsieur Thorton au point que celui-ci a fait les démarches nécessaires pour qu'il puisse assister à des cours à l'université comme auditeur libre dans le domaine où il voulait au départ faire carrière. Et lorsque St. Mildred's a eu besoin d'un employé à temps partiel, monsieur Thorton a recommandé Pete. Deux emplois à temps partiel…

— Équivalent à un emploi à temps plein.

Pas surprenant que Pete soit si heureux de voir Ben. C'est vraiment un chic type. Il traite tout le monde avec respect – du moins toutes les personnes qu'il ne considère pas comme des « deux-quatre ».

Ben ouvre la porte de la bibliothèque et une douzaine de têtes se tournent vers nous. Plusieurs grandes tables ont été réunies et toute la surface en est occupée par des paquets aux emballages multicolores qu'un groupe de femmes s'affaire à ranger dans de grandes boîtes en carton, elles aussi habillées de papier cadeau aux couleurs de Noël.

— Salut, Ben ! s'exclame quelqu'un.

C'est une fille d'à peu près notre âge en tenue décontractée, même si ses vêtements n'ont pas l'air bon marché. Dès qu'elle a aperçu Ben, elle s'est précipitée vers lui pour l'accueillir.

— Maman, Ben est là, annonce-t-elle par-dessus son épaule.

— Salut Jess, répond Ben.

Jess lui passe les bras autour du cou et l'embrasse sur les deux joues. Ces effusions ne semblent pas embarrasser Ben le moins du monde. Quand Jess finit par s'écarter de lui, il me présente.

— Salut, me dit Jess sans pour autant quitter Ben des yeux.

— Jess est la présidente du conseil étudiant de St. Mildred's, m'explique Ben. Elle supervise la distribution de jouets.

Une femme s'approche de nous. D'apparence aussi soignée que Jess, elle porte toutefois une tenue plus élégante.

— Tu arrives à point nommé, Ben, dit-elle avec affection. On a pratiquement terminé.

Elle m'examine à la dérobée et Ben me présente. Elle me salue poliment mais avec froideur, puis se tourne vers sa fille.

— C'est l'heure de porter les boîtes dans la fourgonnette de Ben.

— Viens, Ben, dit Jess en glissant son bras sous le sien et en levant vers lui un visage souriant.

— Je reviens tout de suite, Robyn. Ça ne sera pas long.

Plutôt que d'attendre en me tournant les pouces, je me propose pour donner un coup de main. Je suis Ben et Jess jusqu'à une table couverte de paquets-cadeaux. Une autre femme accueille chaleureusement Ben.

— J'ai appris que tu étais là hier, Ben. Je regrette de t'avoir manqué.

Elle tend la main vers un énorme sac à main, fouille à l'intérieur et finit par en extraire une petite liasse de ce qui ressemble à des dépliants.

—Nous recueillons des fonds pour financer un nouveau labo d'informatique, dit-elle. Nous avons recruté une de nos anciennes comme présidente honoraire de notre comité de collecte de fonds. J'ai pensé que ce projet pourrait intéresser ton père. Après tout, ta mère était diplômée de St. Mildred's, n'est-ce pas ?

Ben hoche la tête, mais toute gaieté a disparu de son visage.

—Je me demandais si tu me rendrais le service de remettre ça à ton père. C'est un appel de fonds. Dis-lui que je serais ravie d'en discuter avec lui après les vacances.

Ben prend le dépliant qu'il fourre dans sa poche sans même y jeter un coup d'œil. Il paraît soulagé lorsque la mère de Jess se met à frapper dans ses mains pour obtenir l'attention.

—S'il vous plaît ! annonce-t-elle. On charge les boîtes et on s'en va !

Les femmes s'empressent d'enfiler leurs manteaux et leurs bottes, et chacune s'empare d'une boîte de jouets. Pete se joint à nous. Les élèves et les anciens de St. Mildred's et d'Ashdale ont recueilli et emballé un tel nombre de jouets qu'il nous faut trois voyages pour tout charger dans la fourgonnette. Jess ne quitte pas Ben d'une semelle pendant toute l'opération, ses yeux noirs brillant d'enthousiasme tandis qu'elle bavarde avec lui de ses projets de Noël et du Nouvel An en mentionnant des noms qui ne signifient rien pour moi mais qui, de toute évidence, sont familiers pour Ben. Il lui répond avec gentillesse. Sans nul doute, il connaît très bien Jess. Une fois la dernière boîte enfournée dans le véhicule, la mère de Jess monte dans son luxueux VUS et avant de la rejoindre, Jess se dresse sur la pointe des pieds pour embrasser Ben, cette fois en lui posant un unique baiser sur la joue.

— On se voit chez Stéphanie, lui dit-elle.

Ben rougit jusqu'aux oreilles.

— Ce n'est pas ce que tu crois, dit-il en se tournant vers moi lorsque le VUS quitte le terrain de stationnement.

— Je ne crois rien du tout.

Ce n'est pas tout à fait exact. En réalité, je pensais à toutes ces élèves de St. Mildred's qui épousaient tous ces élèves de St. Mark's.

— Jess et moi sommes simplement amis, dit Ben.

— D'accord.

J'essaie de faire comme si la chose m'importait peu. Mais secrètement, sa réponse me fait plaisir.

— Viens, lui dis-je. Nous sommes venus ici pour une raison précise, tu te souviens?

Nous regagnons la bibliothèque et Ben me conduit jusqu'à un rayon occupé par une enfilade de gros albums reliés – la collection de tous les annuaires de l'école.

— Tu as l'air de connaître les lieux comme ta poche, lui dis-je.

Je me demande combien de temps il a pu passer dans la bibliothèque de St. Mildred's, et avec qui.

— Je viens ici de temps en temps.

— En compagnie de Jess ou de Stéphanie ?

Ma question me surprend moi-même.

— Pour consulter les annuaires, dit-il.

Jamais je ne me serais attendue à cette réponse.

— C'est pour cette raison que j'aurais dû y penser plus tôt, ajoute-t-il en voyant mon expression.

— Est-ce que je peux te demander pourquoi tu viens ici consulter les annuaires ?

Il m'examine quelques secondes, comme s'il se demandait comment répondre, à supposer qu'il ait envie de répondre.

— Ma mère a quitté la maison quand j'avais huit ans, finit-il par me confier. Elle a fait sa valise et elle a déguerpi. Elle était malade.

— Malade ?

— La même chose que Pete.

Oh ! Je n'arrive même pas à imaginer ce qu'on peut ressentir lorsqu'on perd quelqu'un – sa propre mère – de cette manière.

— Je suis désolée.

Ben se contente de hausser les épaules.

— Après son départ, mon père a jeté toutes ses affaires, tout ce qu'elle avait pu laisser derrière elle. Absolument tout : ses vêtements, ses livres, ses photos, ses souvenirs d'école. Comme s'il la rendait responsable de sa maladie, tu comprends ? Et puis un beau jour, il y a deux ans, je me suis retrouvé ici.

— À l'occasion d'une de ces fameuses rencontres sociales « St. Mildred's-Ashdale » ?

— Pas exactement.

Il hésite.

— Je… Jess et moi avons déjà sortis ensemble. Mais ce n'était pas sérieux et cela remonte à un bon bout de temps. Depuis, nous sommes simplement restés amis.

Il braque sur moi des yeux inquiets, ce qui me fait plaisir. Mon opinion compte beaucoup pour lui.

— Disons que nous étions ici tous les deux et j'ai aperçu tous ces annuaires. J'étais curieux. Alors je les ai consultés pour vérifier s'il n'y avait pas des photos de ma mère.

— Sais-tu où elle se trouve aujourd'hui ?

Les yeux de Ben s'assombrissent.

— Elle est morte.

— Je suis désolée.

— Elle est morte quand j'avais dix ans.

Pauvre Ben.

— Est-ce qu'il y a des photos d'elle ?

Il fait signe que oui.

— Je peux les voir ?

Il hésite un instant, puis fait courir sa main sur le dos des annuaires reliés et en sort un de la collection. Il feuillette rapidement l'album et me montre une page.

— C'est elle, dit-il en désignant la photo d'une jeune femme en tenue de soirée.

Elle est coiffée d'une tiare et donne le bras à un jeune homme coiffé d'une couronne.

— Elle a été élue reine de sa promotion, dit Ben sur un ton affectueux.

— Elle est belle. D'ailleurs, tu lui ressembles beaucoup.

Il hausse les épaules d'un air modeste.

— Qui est le garçon qui l'accompagne ?

— Mon père, répond-il avec froideur.

Il referme l'annuaire et le range à sa place sur le rayon.

— Monsieur Duffy avait entre soixante et soixante-cinq ans, dit-il. Peut-être même un peu moins – on vieillit plus vite dans la rue. Alors…

Il fait courir sa main le long de la rangée de reliures jusqu'aux premiers volumes.

— Que dirais-tu de commencer par les plus anciens, pour plus de sûreté ?

Il sort une pile d'annuaires qu'il va déposer sur la table la plus proche. Puis il m'avance une chaise, s'installe à mon côté et me regarde feuilleter les albums. Chaque fois que j'en écarte un, il semble se rapetisser sur sa chaise.

Il ne me faut pas beaucoup de temps pour examiner chaque annuaire de la première à la dernière page. Je vois des filles sur la plupart des photos – après tout, St. Mildred's est un collège de filles – et ne m'y attarde pas. Je ralentis seulement en tombant sur les pages de photographies relatives aux activités scolaires mixtes : concours oratoires, activités bénévoles, événements-bénéfice et bals. Bon nombre de garçons figurent sur ces photos – ils portent les cheveux courts ramenés en arrière et le style de complets qu'on voit dans les vieux films. Je scrute chaque visage sans reconnaître personne.

Je tends la main vers un autre annuaire.

— Toujours rien? demande Ben. Es-tu sûre de te rappeler à quoi il ressemblait?

— Sûre et certaine, dis-je en feuilletant le nouveau volume.

— Ce serait vraiment un coup de chance, dit Ben. Je veux dire, ce ne sont pas toutes les élèves de St. Mildred's qui ont fréquenté un garçon de St. Mark's, et rien ne garantit qu'il y ait une photo de chaque couple. Et nous ne savons même pas avec certitude si monsieur Duffy a étudié à St. Mark's. Qui nous dit qu'il n'a pas trouvé cette bague quelque part?...

Je l'entends parler sans réellement prêter attention à ce qu'il raconte, bien trop occupée à examiner une photographie qui figure parmi une demi-douzaine d'autres. Elle est étonnamment semblable à la photo de ses parents que Ben m'a montrée tout à l'heure, à la différence que les tenues vestimentaires des deux jeunes gens semblent dater d'une époque encore plus ancienne. Je tapote du bout du doigt le visage du jeune homme.

— C'est lui.

14

— Tu en es sûre?

— Absolument.

La photo n'est pas restée longtemps en ma possession, mais je l'ai étudiée et réétudiée en cherchant à y
distinguer les traits de monsieur Duffy. Sans succès.
Mais le visage figurant sur cette ancienne photo est resté
gravé dans ma mémoire et j'ai la certitude que c'est celui
que je regarde à présent. Le jeune homme photographié
dans l'annuaire est celui qui pose sur la petite photographie ovale qu'Aisha m'a remise. Sur la photo de
l'annuaire, on le voit en compagnie d'une jeune femme
d'une beauté exceptionnelle. Elle braque des yeux sai-
sissants sur l'objectif au point qu'on ne voit qu'elle. Je
cherche une légende. Rien. En fait, aucune des photos
de cette page n'est assortie d'une légende.

— Si près du but, mais encore si loin, observe Ben.

— Si elle assistait au bal de fin d'études, c'est qu'elle
étudiait ici. On peut dénicher son nom à elle, à défaut
de trouver le sien à lui.

Je feuillette l'annuaire jusqu'à la page des finissantes de cette année-là.

— La voilà, dis-je en montrant triomphalement un visage. Frances Pfeiffer.

— Fantastique, fait Ben avec moins d'enthousiasme que moi. Mais en quoi cela peut-il nous aider? Cet annuaire date de…

Il referme la couverture pour l'inspecter.

— … quarante-cinq ans, Robyn.

— Ce qui veut dire que… Frances Pfeiffer a aujourd'hui soixante-trois ou soixante-quatre ans. Elle est probablement encore en vie, Ben.

J'examine le jeune visage sur la photo en essayant d'imaginer à quoi il peut ressembler aujourd'hui.

— Si elle vit toujours, je te parie tout ce que tu veux qu'elle s'est mariée à un moment donné et a changé de nom, suppute Ben. Les femmes prenaient le nom de leur mari à l'époque. Comment vas-tu t'y prendre pour la retrouver?

Bonne question. J'y réfléchis pendant que Ben photocopie les deux photos – celle de Frances Pfeiffer seule, et celle où elle pose en compagnie du mystérieux garçon. Ce n'est qu'après avoir remis les annuaires sur les rayons et quitté la bibliothèque que j'échafaude un plan dans ma tête.

— Cette dame qui t'a donné la brochure, Ben. Connais-tu son nom?

— Naturellement. C'est madame Macklin.

— Peut-être pourra-t-elle nous aider.

Ben semble en douter.

— Frances Pfeiffer doit avoir terminé ses études au moins dix ans avant madame Macklin. Il est probable qu'elles ne se sont jamais rencontrées.

— Mais quand elle te parlait de sa campagne de financement du labo d'informatique, elle donnait l'impression de savoir comment entrer en contact avec les anciennes élèves. Si elle n'a ni le téléphone ni l'adresse de madame Pfeiffer, peut-être saura-t-elle comment se les procurer.

Avec l'aide de Pete, Ben se met à la recherche d'un annuaire téléphonique et il appelle madame Macklin. Il tombe sur sa boîte vocale et laisse un message.

— Si elle me rappelle et qu'elle peut nous aider, je te tiendrai au courant, me dit-il.

Il ne semble guère optimiste.

Ben me rappelle ce soir-là.

— Tu avais raison, me dit-il, un peu essoufflé. Quelle idée brillante, Robyn !

— Si j'ai bien compris, madame Macklin croit savoir comment rejoindre madame Pfeiffer ?

— Mieux que ça. Frances Pfeiffer habite en ville – elle a déménagé de la côte ouest il y a deux mois. Elle s'appelle Frances Braithwaite à présent, madame Macklin m'a donné son adresse et son numéro de téléphone. On pourra lui téléphoner demain.

— Je préférerais la rencontrer en personne.

Nous convenons d'un rendez-vous.

Le lendemain matin, Ben passe me prendre et nous gagnons un quartier très chic aux rues bordées d'immenses maisons. Ben sonne à la porte et une voix répond dans l'interphone.

— Oui ?

— Nous aimerions parler à madame Braithwaite, répond Ben.

— Elle vous attend ?

— Non, mais…

La porte d'entrée s'ouvre et une femme en manteau chaussée de bottes apparaît sur le seuil, ses clefs de voiture à la main.

— Je suis madame Braithwaite, dit-elle.

Elle doit avoir dans les soixante-cinq ans, mais ses yeux ont gardé l'éclat qu'ils avaient lorsqu'elle étudiait à St. Mildred's. Je constate à présent qu'ils sont d'un bleu pâle étonnant.

— Mais je m'apprête à sortir, si bien que…

— Je m'appelle Ben Logan, l'interrompt Ben. C'est une ancienne de St. Mildred's, madame Macklin qui m'a donné votre adresse.

Madame Braithwaite remue la tête et sourit poliment, mais elle est visiblement distraite.

— Ma mère avait elle aussi étudié à St. Mildred's, poursuit Ben. Je vous présente mon amie, Robyn Hunter…

— Je suis désolée, le coupe madame Braithwaite, mais je n'ai pas vraiment le temps…

— Nous ne vous retiendrons qu'une minute, lui dis-je.

Je sors de mon sac une des deux photocopies et la lisse du plat de la main avant de la lui tendre.

— Est-ce bien vous ?

Elle fouille dans son sac à la recherche de ses lunettes. Elle écarquille ses yeux pâles en examinant la photo.

— Où avez-vous trouvé ça ?

— Dans l'annuaire de votre ancien collège.

— Oui, je le vois bien. Ce que je veux dire, c'est pourquoi ? Qu'est-ce que vous faites avec cette photo entre les mains ?

— J'espérais que vous puissiez nous dire comment s'appelait ce garçon.

Elle scrute à nouveau la photo et son expression s'adoucit.

— Il s'appelait Maxwell Templeton, dit-elle.

— S'appelait ? fait Ben.

— Il est mort il y a longtemps.

— En êtes-vous sûre ?

— Absolument. Il y a vingt-deux – non, vingt-trois ans. Pourquoi me posez-vous cette ?…

Un téléphone cellulaire se met à sonner. Madame Braithwaite sort le sien de la poche de son manteau.

— Oui, je sais, dit-elle à son interlocuteur au bout d'un moment. Je m'apprêtais à partir. J'arrive dans une quinzaine de minutes.

Elle coupe la communication.

— Ma fille se marie le mois prochain et avec Noël qui approche… si vous voulez bien m'excuser.

Elle me rend la photographie. Pendant quelques secondes, je m'attends à ce qu'elle ajoute quelque chose, mais elle gagne en hâte sa voiture garée dans l'allée, monte à bord et s'éloigne.

— Eh bien, commente Ben en suivant la voiture des yeux, on dirait bien qu'on a fait fausse route.

Je baisse les yeux sur la photo que je tiens à la main, puis lentement, je la froisse dans mon poing et la glisse dans ma poche de manteau.

— Tu as fait tout ce que tu as pu, me console Ben. Et tu en as fait bien plus que ce qu'auraient fait la plupart des gens. Mais il faut croire qu'il y a des mystères qu'on ne pourra jamais éclaircir.

Je viens de rentrer chez mon père et de saluer Tara, installée dans le bureau, quand mon cellulaire se met à sonner. Le cœur battant, je consulte l'afficheur. Un appel interurbain. Nick ?

— Allô ? dis-je le souffle court.

— Allô ? fait une voix inconnue. Ici le docteur Antoski à l'appareil. Vous vouliez me parler ?

Je ne connais pas de docteur Antoski et m'apprête à lui dire qu'il a dû se tromper de numéro quand il ajoute :

— Je travaille à la clinique sans rendez-vous de la rue Dennison. J'appelle de l'aéroport de Nairobi. Je viens de prendre mes messages et il y en a un de vous. À propos de monsieur Duffy.

Ça me revient tout à coup. Morgan avait laissé un message et mon numéro de téléphone à l'intention du médecin que consultait toujours l'itinérant à la clinique.

— Comment va monsieur Duffy ? me demande-t-il.

— Il est mort, malheureusement.

La ligne reste un moment silencieuse.

— Comment est-ce arrivé ? me demande le médecin.

— Il avait bu. Coma éthylique, paraît-il.

— Si je ne lui ai pas dit cent fois que ce n'était pas la rue qui allait le tuer, mais bien ces litres de mauvais vin rouge qu'il avalait…

J'entends un long soupir à l'autre bout de la ligne.

— Je pensais pourtant avoir réussi à le convaincre. La dernière fois que je l'ai vu, il m'a dit qu'il n'avait pas bu une goutte depuis deux mois. C'était tout un exploit pour quelqu'un comme lui.

Je lui explique brièvement pour quelle raison je lui ai laissé un message – par l'entremise de Morgan.

— Est-ce que monsieur Duffy vous parlait de lui ?

Mon interlocuteur semble hésiter.

— Non, pas vraiment, finit-il par dire.

— Vous a-t-il déjà parlé de son passé ?

— Jamais.

— Même pas de l'accident qui lui était arrivé, de cette blessure à la tête ?

— Je le lui ai demandé à plusieurs reprises, répond le docteur Antoski. Il avait reçu un sacré coup sur le crâne. Au point d'avoir le côté de la boîte crânienne enfoncé. Sa vision de l'œil gauche en était affectée, et certaines de ses fonctions cérébrales aussi. Mais il ne m'a jamais dit un mot à ce sujet. Je ne savais pas trop si c'était parce qu'il n'aimait pas en parler ou parce qu'il ne s'en souvenait pas. Mais le plus déroutant, c'est que ça ne l'empêchait pas d'être un crac en informatique. D'ailleurs, il m'a aidé à régler certains problèmes que j'avais avec mon ordinateur. Ce ne sont pas des compétences qu'on s'attend à trouver chez un homme de sa génération, encore moins chez un itinérant de son âge. Oui, je sais, les grands-mères naviguent aujourd'hui sur la Toile, mais vous voyez ce que je veux dire. Je regrette qu'il soit mort, et je regrette de ne pas pouvoir vous aider davantage.

Déçue, je le remercie avant de couper la communication. Il semble bien que Ben ait raison. Il y a des mystères qu'on ne pourra jamais élucider.

Tara sort du bureau de mon père, le sourire fendu jusqu'aux oreilles, en transportant ce qui ressemble à une mallette d'ordinateur.

— J'ai fini par récupérer ma machine, m'annonce-t-elle. Et elle marche ! J'ai envie de fêter ça !

Elle inspecte ma mine déconfite.

— Tu fais une tête d'enterrement. Qu'est-ce qui ne va pas ?

— J'ai essayé de résoudre une énigme, lui dis-je. J'espérais bien y arriver, mais...

Je hausse les épaules.

— Et si je t'invitais à prendre un café et un dessert bien décadent? me propose-t-elle. Je connais un endroit où ils servent d'incroyables *brownies* au chocolat – avec crème glacée et un nappage de chocolat chaud à vous faire croire au paradis. Qu'en dis-tu?

— Bonne idée, lui dis-je en essayant, sans grand succès, de manifester un peu d'enthousiasme.

Mon cellulaire sonne encore. Cette fois, c'est Aisha qui m'appelle.

— J'ai trouvé autre chose qui appartenait à monsieur Duffy, m'annonce-t-elle. Peux-tu me retrouver à la laverie automatique?

Je lui réponds que j'arrive.

— Changement de programme? me demande Tara.

— Je dois passer voir quelqu'un. Désolée.

— Est-ce que ça prendra du temps?

— Je ne crois pas.

— Alors, viens. Je t'emmène là-bas et quand tu en auras terminé, nous irons nous sucrer le bec. Rien de tel que le chocolat pour vous remonter le moral.

— Vous êtes sûre que ça ne va pas chambouler vos projets?

— Mon seul projet est de fêter le retour de mon moyen de subsistance, répond-elle. Je ne peux rien faire sans mon ordinateur. Qu'en penses-tu, Robyn? Tu pourras me parler de ton énigme. Peut-être pourrais-je t'aider à démêler ça?

Tara m'attend dans l'auto et j'entre dans la laverie. J'y trouve Aisha toute seule, postée devant une sécheuse.

— Rashid garde Yasmin à la maison. Je lui ai dit que je devais faire la lessive plus tôt cette semaine parce que la laverie sera fermée vendredi à cause du congé de Noël.

Elle plonge la main dans la poche de son pauvre coupe-vent et en sort un médaillon en argent qu'elle pose dans ma main.

— Je l'ai trouvé dans le tiroir de Yasmin. Elle m'a dit que monsieur Duffy lui en avait fait cadeau. La chaîne est brisée. Elle dit qu'elle l'était déjà quand il lui a donné le médaillon. Il le lui a offert en lui faisant promettre de n'en parler à personne. Il savait que si Rashid le découvrait, il allait insister pour qu'elle le lui rende.

J'ouvre le médaillon. À l'intérieur est aménagée une cavité ovale censée loger une photo. Il n'y a pas de photo.

— La photo que je t'ai donnée, me dit Aisha. Je crois qu'à l'origine, elle était dans le médaillon. Et regarde ça.

Elle me montre quelque chose à l'intérieur du couvercle, en face de l'ovale où se trouvait la photo. Des mots y sont gravés: *Pour Franny. À toi pour toujours, Max.*

— La photo était celle d'un homme qui s'appelait Max Templeton, dis-je à Aisha. Et je suis pratiquement certaine que cette Franny est une femme appelée Frances Braithwaite. Elle a déjà connu ce Max Templeton. Elle m'a dit qu'il était mort depuis plus de vingt ans.

— Pourquoi monsieur Duffy avait-il cet objet en sa possession ? me demande Aisha.

— Je n'en ai aucune idée.

— Vas-tu le rendre à cette dame ?

— Monsieur Duffy l'a offert à Yasmin. Elle sera déçue, non ?

Aisha me regarde dans le blanc des yeux.

— Si tu sais à qui il appartient, s'il te plaît, va le lui rendre. C'est ton devoir. Si quelqu'un m'avait donné un médaillon gravé de ce genre, j'aurais bien aimé le récupérer. Pas toi ?

Tara m'emmène au salon de thé dont elle m'a parlé et y commande deux cafés au lait et un fondant au chocolat avec deux cuillers. Je me force à en avaler une bouchée, mais je ne parviens, il me semble, qu'à gâcher l'humeur festive de Tara.

— On dirait bien que ton énigme est en train de tourner à l'obsession, finit-elle par me dire.

— C'est vrai. Je suis tombée sur un os et ça me frustre.

— Je te comprends. Et si tu m'en parlais ? Je me sens toujours mieux quand j'ai l'occasion d'expliquer mes déboires à quelqu'un.

Je lui raconte toute l'histoire dans ses moindres détails.

— J'espérais que la photo soit celle de monsieur Duffy, dis-je en tripotant le médaillon. Mais on dirait bien que je me suis cognée à un mur. À moins que cette piste ne mène nulle part. J'aurais dû m'en douter. Il n'y avait pas l'ombre d'une ressemblance.

— Le visage de certaines personnes reste parfaitement reconnaissable à mesure qu'elles vieillissent, me dit Tara. Mais tu serais surprise de constater à quel point les traits de quelqu'un peuvent changer entre seize et soixante ans, surtout si cette personne a été malade, a eu un accident ou a connu bien des malheurs dans sa vie.

— Peut-être. Mais il se trouve que la personne figurant sur ma photo est décédée il y a plus de vingt ans.

— Pas de chance, dit Tara.

Nous finissons notre pâtisserie et Tara me propose de me reconduire.

— J'ai encore une brève visite à faire.

J'ai fait une promesse à Aisha. Même si mon enquête sur monsieur Duffy se termine ici, rien ne m'empêche de rendre le médaillon à sa légitime propriétaire, à supposer bien entendu qu'elle veuille le récupérer. Elle porte le nom de Braithwaite, et non plus celui de Pfeiffer, ce qui veut dire qu'elle a dû se marier. Peut-être a-t-elle jeté ce médaillon il y a des années. Pourtant…

— Ne m'attendez pas, dis-je à Tara.

— Laisse-moi t'emmener là-bas, me propose-t-elle avec entrain. C'est le moins que je puisse faire.

J'aperçois la voiture de madame Braithwaite garée dans l'allée, preuve que sa propriétaire est chez elle. J'ai peur de la déranger. Elle doit être occupée et ne sera pas nécessairement contente de me voir ou de voir ce médaillon. J'hésite.

— Un problème ? demande Tara.

Je prends mon courage à deux mains.

— Non. Ça ne devrait pas prendre beaucoup de temps.

Tara me dit qu'elle va m'attendre dans l'auto.

Cette fois, madame Braithwaite répond en personne à l'interphone.

Je me présente et lui annonce que j'ai en ma possession un objet qui lui appartient, un bijou ; elle me répond que je dois faire erreur. Je lui confie alors qu'il s'agit d'un médaillon et lui révèle la teneur de l'inscription gravée à l'intérieur.

— J'arrive tout de suite, dit-elle après un silence.

Une minute plus tard, la porte s'ouvre et madame Braithwaite me fait entrer dans le vestibule. Je lui tends le médaillon. Elle l'examine, l'ouvre et pousse un gémissement.

— Où as-tu trouvé ça ? me demande-t-elle.

Je le lui explique et elle secoue la tête.

— Est-ce vraiment possible ? fait-elle. Comment se peut-il qu'un objet qu'on a perdu plus de vingt ans auparavant refasse soudain surface, à des milliers de kilomètres de l'endroit où on l'avait perdu ?

Perdu ?

— Mère ? interroge une voix depuis le couloir. J'ai entendu la porte d'entrée.

Une jeune femme qui doit avoir l'âge de Tara passe la tête dans l'embrasure de la porte.

— Oh, je vous demande pardon ! s'excuse-t-elle en m'apercevant.

Un jeune homme se tient derrière elle.

— J'ai entendu la porte d'entrée, dit la jeune femme et j'ai cru que c'était le père d'Edward. Il devrait être arrivé à l'heure qu'il est.

Madame Braithwaite me présente à sa fille Jenny et à son fiancé, Edward. Jenny regarde sa mère.

— Est-ce que tout va bien, mère ?

Madame Braithwaite hoche faiblement la tête.

— Robyn est venue m'apporter ça, dit-elle en tendant le médaillon à sa fille.

— La chaîne est cassée.

— C'est moi qui l'avais cassée, avant de lancer le médaillon au visage de ton père.

Jenny la regarde bouche bée.

— Tu l'as jeté au visage de papa ? Je ne m'en souviens pas. Je ne me rappelle pas de vous avoir entendus vous quereller, et encore moins de vous avoir vus vous lancer des choses à la tête.

— Ouvre-le, Jenny.

Jenny obéit.

— Max ? Tu parles de ?...

— Je parle de ton vrai père, Jenny.

— Mais il est mort quand j'étais toute petite !

— Tu avais deux ans et demi, dit madame Braithwaite en prenant le médaillon des mains de Jenny. Ce qui aurait dû être la période la plus heureuse de notre vie en a été l'époque la plus malheureuse.

Elle caresse de son pouce le couvercle du médaillon.

— Je n'aurais jamais imaginé le revoir, dit-elle. Max et moi avions fait connaissance quand nous fréquentions encore le collège. Il étudiait à St. Mark's et moi, à St. Mildred's. Il avait un an de plus que moi. Il m'avait offert ce médaillon quand j'étais en dernière année. Il y avait une photo de lui à l'intérieur.

— Je sais, lui dis-je. J'ai eu cette photo entre les mains, ainsi qu'une chevalière de St. Mark's. C'est grâce à ces objets que j'ai pu vous retrouver.

— Tu as cette photo et sa bague de St. Mark's ? Est-ce que je peux les voir ?

Je lui explique qu'on me les a volées.

Elle examine encore le médaillon, les yeux embués de larmes.

— Max et moi avions prévu nous marier après le collège, mais mes parents trouvaient que j'étais trop jeune. Ils m'ont envoyée passer une année en Europe. Max a entrepris ses études universitaires. Nous nous écrivions régulièrement et ensuite, je ne sais pas trop pourquoi, nous nous sommes perdus de vue. Je me suis mariée, mais ça n'a pas duré. Et un beau jour, je suis tombée par hasard sur Max dans un aéroport. Imagine, je ne l'avais pas vu depuis dix-sept ans. Nous avons dîné ensemble et nous avions l'impression de n'avoir jamais été séparés. Six mois plus tard, nous étions mariés. Et deux ans après, alors que j'avais perdu tout espoir, Jenny est arrivée.

— Je ne comprends pas, dit Jenny. Si ce médaillon t'appartient, comment s'est-il retrouvé entre ses mains à elle?

— Quelqu'un me l'a donné en me demandant de le rendre.

— Qui? demande madame Braithwaite.

— Une femme que je connais.

— Mais comment est-il arrivé en sa possession? J'ai arraché ce médaillon et l'ai jeté à la tête de Max il y a plus de vingt ans. Et je ne l'ai jamais revu par la suite, pas plus que j'ai revu Max. Comme se fait-il qu'il ait pu aboutir entre les mains de cette femme?

— Un itinérant le lui a donné.

— Un itinérant? Mais où a-t-il bien pu le trouver?

— Je n'en sais rien.

— Cette femme dont tu parles, sait-elle où il est? On pourrait interroger cet homme.

— C'est impossible, j'en ai peur. Il est mort dans la nuit de lundi. De froid.

Madame Braithwaite me dévisage.

— J'ai lu quelque chose à propos d'un sans-abri mort de froid. C'est le même?

Je hoche la tête.

— Je ne comprends pas, dit madame Braithwaite. J'ai lancé ça à la tête de Max la dernière fois que je l'ai vu. Je ne l'ai jamais récupéré, mais je suppose qu'il l'avait sur lui quand…

Elle s'interrompt brusquement, les traits déformés par la souffrance. Je regrette d'être venue. Mon initiative n'a fait que raviver de vieux souvenirs et bien du chagrin.

— Mon père s'est noyé, me dit Jenny.

— Ton père s'est suicidé, corrige doucement madame Braithwaite.

Jenny regarde sa mère, les yeux écarquillés.

— Suicidé ? Mais tu ne me l'as jamais dit.

— C'était il y a si longtemps. Tu étais si jeune – trop jeune. Et Steven se montrait si bon père pour toi. J'ai pensé que... pardonne-moi. J'aurais dû te le dire.

Jenny se tourne vers son fiancé, qui lui entoure les épaules d'un bras protecteur.

— Il faut que je parte, dis-je, mais personne ne semble m'entendre.

— Après ta naissance, poursuit madame Braithwaite à l'intention de sa fille, j'ai eu bien du mal à tenir le coup. J'étais tout le temps seule à la maison. Et Max avait tellement changé en deux ans. Son seul sujet de conversation, son unique centre d'intérêt, c'était la conception de programmes et la recherche d'erreurs de programmation. Et il buvait – beaucoup trop pour son bien. Il était obsédé par son travail. C'est du moins ce que j'ai cru à l'époque.

Elle jette un coup d'œil à Edward.

— Max avait de grandes idées. Il pensait pouvoir changer le monde et ne se ménageait pas. La dernière fois que je l'ai vu, il m'a dit qu'il s'en allait au bureau. Il m'a dit qu'il avait besoin de réfléchir et que c'était impossible à la maison à cause des hurlements du bébé et des lamentations de sa femme. C'est à ce moment-là que j'ai arraché le médaillon que je portais autour du cou. La chaîne m'a scié la peau avant de casser. Je lui ai jeté le médaillon à la tête. J'étais enragée. Je lui ai dit que si le travail avait plus d'importance que sa propre femme et sa propre fille, il pouvait bien aller camper dans son bureau jusqu'à la fin de ses jours. J'étais si absorbée dans mes propres problèmes que je n'ai pas remarqué ce qui lui arrivait à lui.

— Que veux-tu dire ? lui demande Jenny.

— J'ai découvert... plus tard... qu'il était suivi par un psychiatre. Il buvait comme un trou pour combattre sa dépression. Mais il continuait à travailler. Il s'obligeait à le faire. Il n'arrêtait pas de marmonner sur les problèmes qu'il avait au travail, mais ne m'a jamais précisé quels étaient ces problèmes et ne m'a jamais parlé de son état mental. Mais j'aurais dû m'en apercevoir. J'aurais dû m'en rendre compte.

Elle a les larmes aux yeux.

Jenny s'écarte d'Edward pour prendre sa mère dans ses bras.

— Son bureau se trouvait dans un quartier miteux à proximité des quais. Il répétait tout le temps qu'il ne voulait pas gaspiller de l'argent dans ce qu'il appelait des choses non essentielles. Tu te souviens de l'endroit, hein, Edward ?

Edward opine.

— J'y allais avec papa.

— Le père d'Edward et Max étaient associés, m'explique madame Braithwaite, dont les yeux s'assombrissent. Ils ont retrouvé la montre de Max au fond du port, ses chaussures et quelques vêtements. Mais jamais ils n'ont retrouvé son corps. Ils ont pensé que la marée l'avait peut-être… La police a conclu que rien ne laissait croire à un acte criminel. Ils avaient découvert que Max était allé dans un bar plus tôt dans la soirée. Au début, ils ont pensé qu'il était tombé dans le bassin parce qu'il était ivre. Quand ils ont appris qu'il était traité par un psychiatre, ils ont conclu au suicide. Je suis désolée, Jenny. J'aurais dû t'en parler.

J'hésite un peu avant d'intervenir.

— Madame Braithwaite, vous disiez que votre mari ne parlait que de programmes et d'erreurs de programmes. Il travaillait en informatique ?

Elle approuve d'un signe de tête.

— Il était fasciné par les ordinateurs depuis qu'il en avait entendu parler. L'ère de l'informatique commençait et Max était un cerveau en la matière.

— Est-ce que par hasard vous ne viviez pas dans l'ouest quand vous étiez mariés, Max et vous ?

— Oui, me répond-elle en me regardant avec curiosité. Comment le sais-tu ?

J'essaie mentalement de me convaincre qu'il s'agit d'une simple coïncidence. Mais je ne peux m'empêcher de repenser à ce que les gens m'ont raconté – à propos des jonquilles, à propos des magazines d'informatique qu'il lisait. Je repense à la bague, à la photo et à ce que

Tara m'a dit à propos des ravages que le malheur peut faire sur le visage de quelqu'un.

— Je sais avec certitude que monsieur Duffy, l'homme qui est mort de froid, avait vécu un temps sur la côte ouest. Et que c'était un crack en informatique.

— Où veux-tu en venir ? me demande Edward.

— Je sais également qu'il avait été victime d'un accident il y a bien longtemps. Un grave traumatisme à la tête. Qui avait probablement affecté sa mémoire.

Madame Braithwaite me dévisage.

— Je ne comprends pas.

— Vous dites qu'on n'a jamais retrouvé le corps de votre mari… Alors il est possible que…

Je m'interromps. Serait-ce vraiment possible ?

— Possible que quoi ? demande Jenny.

Madame Braithwaite blêmit.

— Tu n'es pas en train de laisser entendre que l'homme qui est mort de froid serait mon Max ? Hein ?

Elle contemple le médaillon dans sa paume.

— C'est impossible, affirme-t-elle carrément.

— Je ne sais pas. Mais je connais peut-être un moyen de le savoir.

J'explique à madame Braithwaite, à Jenny et à Edward quel genre de recherche fait Tara.

15

— Madame Braithwaite, auriez-vous des photos de Max Templeton prises peu de temps avant sa disparition ? demande Tara.

Encore sous le choc, madame Braithwaite ne répond pas.

— J'en ai une, moi, intervient Jenny.

Elle sort de la pièce et revient quelques minutes plus tard avec une photographie encadrée. On y voit une petite fille souriante assise sur les genoux d'un homme au physique séduisant, qui ressemble à la version adulte du garçon posant sur la photo de l'annuaire. Mais il ne ressemble en rien à monsieur Duffy. Je fais peut-être fausse route. Je suis peut-être en train de faire souffrir cette femme pour rien. Pourtant...

Tara examine le cliché.

— Avez-vous d'autres photos ? demande-t-elle à madame Braithwaite.

Celle-ci parvient à répondre :

— Elles sont restées chez le garde-meuble là-bas, dit-elle. J'ai déménagé ici il y a quelques mois, mais toutes mes affaires n'ont pas encore suivi.

Je sors de ma poche la photocopie du cliché de l'annuaire. Tara l'examine attentivement, les sourcils froncés.

— La définition n'est pas terrible, observe-t-elle. Je ne sais pas si je pourrais m'en servir.

Elle se tourne vers madame Braithwaite.

— Et des photos de sa famille ? De son père ou sa mère ? Avait-il des frères et sœurs ?

— À quoi pourraient-elles vous servir ? demande Jenny.

— Eh bien, supposons que la police vienne me voir pour vieillir le visage d'un criminel en fuite qui a commis son forfait il y a, disons, trente ans. Et supposons que sur la photo qu'on me donne, l'homme avait vingt-cinq ans. J'essaierais alors d'obtenir des photos de ses parents les plus proches – frère, sœur, père, mère – à l'âge de vingt-cinq ans, puis à cinquante-cinq ans, l'âge actuel du criminel recherché. Cela m'aiderait beaucoup parce que j'aurais une idée des effets de l'âge sur le faciès des membres de sa famille, et donc des effets du vieillissement sur ses propres traits à lui.

Madame Braithwaite secoue la tête.

— Je n'ai rien de ce genre ici.

— Et cette photo que papa t'a donnée ? demande Edward à Jenny. Elle pourrait peut-être nous aider.

Jenny ressort en hâte de la pièce et réapparaît avec une autre photo où posent deux jeunes hommes accompagnés d'un couple plus âgé. L'un des jeunes gens est Max Templeton.

— Voici mon père et le père d'Edward peu de temps après la fin de leurs études universitaires, explique Jenny à Tara. En compagnie de mes grands-parents.

Madame Braithwaite examine la photo avec surprise.

— Où as-tu déniché ça ? demande-t-elle à sa fille.

— C'est le père d'Edward qui l'a apportée. Il l'avait trouvée un jour qu'il mettait de l'ordre dans son bureau, et il a pensé que ça me ferait plaisir de l'avoir.

— Elle va m'être très utile, déclare Tara. Est-ce que je peux m'installer ici ? ajoute-t-elle en désignant de la tête un coquet bureau ancien.

Madame Braithwaite accepte. Tara ouvre la fermeture éclair de sa mallette, en sort son ordinateur portable et son numériseur et les pose sur le bureau. Elle numérise la photo que Jenny lui a confiée.

— Est-ce qu'on peut vous regarder travailler ?

Tara fait signe que oui.

Nous suivons l'opération en silence. Je regarde sans surprise, mais avec émerveillement les traits du jeune homme aux yeux brillants se transformer graduellement en ceux d'un homme plus mûr, sillonnés de rides et moins fermes. Je jette un coup d'œil à madame Braithwaite, qui fronce les sourcils à mesure que l'image se précise.

— Est-ce que monsieur Duffy portait des lunettes ? me demande Tara. Était-il chauve ? Avait-il de la barbe, ou peut-être une moustache ?

Madame Braithwaite se tourne vers moi.

— Je ne pense pas qu'il portait des lunettes, dis-je. S'il en portait, je ne les ai jamais vues. Il n'était pas chauve. Il avait les cheveux longs, gris et plutôt ondulés. Mal coupés, aussi. Ils dépassaient sur son col. Il n'avait pas de barbe à proprement parler, mais les fois où je l'ai vu, il avait l'air d'un homme qui aurait eu besoin de se raser.

— Si j'en crois ce que tu m'as dit, sa santé n'était pas des meilleures non plus. C'est un facteur qui peut jouer un grand rôle dans le vieillissement.

— Non seulement il vivait dans la rue, mais il buvait sec avant les six derniers mois.

— Et cet accident qu'il avait subi? me demande Tara. En avait-il gardé des séquelles permanentes, des cicatrices, par exemple?

— Son crâne était enfoncé sur le côté. Et il avait une cicatrice qui lui barrait l'arcade gauche.

Je fais glisser mon doigt sur mon visage pour illustrer mon propos.

— Il avait l'œil gauche déformé, comme s'il était de travers dans l'orbite.

Tara plisse le front.

— Son œil était désaxé, il louchait vers la gauche.

Tara poursuit son travail. J'entends quelqu'un prendre une inspiration à côté de moi. Je me tourne vers madame Braithwaite. Les lèvres tremblantes, elle ne quitte pas l'écran des yeux tandis que Tara poursuit ses opérations.

— Comme ça? me demande-t-elle.

— La cicatrice devrait être plus large. Et l'œil plus enfoncé.

Tara procède à d'autres ajustements jusqu'à ce que...

— C'est lui! C'est monsieur Duffy! Voilà à quoi il ressemblait.

— C'est vrai? fait Tara, aussi surprise que contente.

— Mon Dieu! s'exclame madame Braithwaite.

Elle vacille sur ses jambes. Jenny et Edward lui prennent chacun un bras et l'aident à s'asseoir sur une chaise.

— J'ai déjà rencontré cet homme, dit-elle. J'ai plusieurs fois déposé de l'argent dans son chapeau. Mais je ne lui ai jamais parlé, et il ne m'a jamais adressé la parole. La plupart du temps, il gardait la tête baissée. Sauf une fois. Une fois, il a levé les yeux vers moi. J'ai vu ces cicatrices et ce visage ravagé... et j'ai pensé: pauvre homme. J'avais déjà déposé de la monnaie dans son chapeau, mais il m'a fait tant de peine que j'ai ouvert mon sac pour lui donner un billet de vingt dollars. Je ne pense pas l'avoir revu par la suite.

— Quand cela s'est-il passé?

— Je ne sais pas trop. Il y a quelques semaines, je dirais.

Edward se penche au-dessus de Tara pour regarder l'écran.

— Son visage ne m'est pas inconnu, dit-il.

— Il mendiait dans l'entrée d'un édifice à bureaux du centre-ville.

Je précise l'endroit à Edward.

— C'est bien ça, dit Edward. Moi aussi je l'ai vu. Deux fois. Dans la rue où la société a ouvert ses nouveaux bureaux. C'est à cet endroit que vous aussi avez dû le croiser, Frances.

— C'est exact, dit madame Braithwaite d'une voix affaiblie par le choc.

— Je me souviens de l'avoir croisé il y a deux semaines. Je devais retrouver papa dans un restaurant à proximité de son bureau, explique Edward. Je traversais la rue et je l'ai vu déposer de la monnaie dans le chapeau de cet homme. L'homme lui a dit quelque chose.

Il réfléchit un peu.

— Quelque chose à propos d'un certain Rani. Je me rappelle avoir cru qu'il n'avait pas toute sa tête.

Je repense au nom gravé à l'intérieur du médaillon.

— Est-ce qu'il n'aurait pas plutôt dit Franny, par hasard ?

— Franny ?

Il commence à secouer la tête. Puis il regarde madame Braithwaite et ouvre grand les yeux.

— Oui, c'est possible, me répond-il. Cela aurait pu être Franny. Je ne l'ai pas clairement entendu.

— Max m'appelait Franny, dit madame Braithwaite. C'est la seule personne qui m'ait jamais appelée comme ça.

— Je l'ai revu quelques jours plus tard, reprend Edward. Je lui ai donné de l'argent.

Il jette un regard à Jenny, qui a encore les yeux braqués sur l'écran de l'ordinateur.

— Je ferais mieux d'appeler papa, dit Edward. Cette histoire va l'intéresser.

Il compose un numéro, puis branle la tête.

— Il a éteint son cellulaire. Je vais essayer à son hôtel.

Il fouille dans sa poche, en sort une carte et compose le numéro indiqué.

— Oui, pourriez-vous me passer la chambre douze, je vous prie?

Il attend. La sonnette de la porte d'entrée retentit en même temps et Jenny va ouvrir.

— Oh! l'entend-on dire. Edward cherchait justement à vous rejoindre.

Elle revient vers nous un instant plus tard, en compagnie d'un homme. Je suis aussi stupéfaite de le voir ici qu'il l'est de ma présence.

— Monsieur Franklin.

— Robyn? C'est bien ça?

— Vous vous connaissez? demande Edward.

— J'ai fait la connaissance de Robyn l'autre jour, explique monsieur Franklin. Elle jouait aux détectives.

Il me décoche un sourire.

— J'ai envoyé un don à ton centre d'accueil, ajoute-t-il.

— Le directeur me l'a dit. Il était vraiment ravi.

— Quant au reste, j'ai posé des questions autour de moi, mais ça n'a rien donné, j'en ai peur. Quelques personnes se souvenaient de cet homme, sans pour autant lui avoir parlé.

Il regarde Tara, puis se tourne vers son fils, attendant de toute évidence que celui-ci fasse les présentations. Edward s'empresse d'obtempérer.

— Papa, nous venons de faire une grande découverte, ajoute-t-il. Du moins, je le pense.

— Cet itinérant qui est mort de froid, intervient madame Braithwaite d'une voix chevrotante. James… nous pensons qu'il s'agissait peut-être de Max.

— De Max?

Monsieur Franklin la dévisage comme si elle venait de lui annoncer qu'elle était en réalité la reine d'Angleterre.

Jenny le met au courant de nos recherches.

— C'est ridicule! déclare monsieur Franklin quand elle a terminé.

Il regarde madame Braithwaite.

— Frances, ce ne peut pas être Max, lui dit-il en adoucissant le ton. Max est mort. Cette photo…, ajoute-t-il en indiquant l'écran de l'ordinateur du menton, ce n'est même pas une méthode scientifique.

— Ce n'est peut-être pas une preuve concluante, répond Tara, mais la reconstitution est fidèle. Il existe d'autres moyens de confirmer son identité. La preuve par ADN, par exemple.

— Son corps n'a jamais été retrouvé, explique madame Braithwaite à l'intention de monsieur Franklin. Et s'il ne s'était pas suicidé? S'il lui était arrivé quelque chose? Robyn dit qu'il avait déjà subi un grave traumatisme à la tête. Et s'il avait eu un terrible accident? Et s'il n'était pas rentré à la maison tout simplement parce qu'il ne le pouvait pas? Mon Dieu, serait-ce lui qu'on a enterré la semaine dernière?

Elle pleure à chaudes larmes.

— Tu ne pouvais pas le savoir, lui dit Jenny en la prenant dans ses bras.

— Sérieusement, Frances, tu ne peux pas penser que Max était en vie toutes ces années, la réconforte monsieur Franklin.

— Regarde, papa, lui dit Edward en tournant l'ordinateur de Tara pour que son père puisse mieux voir le portrait affiché sur l'écran. Nous avons croisé cet homme, toi et moi. Tu te rappelles? Il t'a dit quelque chose à propos de Franny. Tu t'en souviens?

— Nous avons croisé cet homme?

— Tu lui as donné de l'argent.

— Ah bon? Je ne me rappelle pas.

Monsieur Franklin étudie plus attentivement l'image sur l'écran.

— Ce n'est pas possible qu'il s'agisse de Max, affirme-t-il.

— Il y a de fortes chances que si, dit Tara.

— Il est mort de froid, James, déplore madame Braithwaite. Max est mort de froid. Dans la rue. À quelques kilomètres de l'endroit où nous sommes.

— Ne sautons pas trop vite aux conclusions, Frances. Nous ne savons pas avec certitude si cet homme était Max. Mais je suis sûr qu'il existe des moyens de le vérifier, comme l'a dit cette jeune dame. Nous pouvons entreprendre des démarches, mais je doute fort qu'il puisse s'agir de Max.

— Mais si c'était lui?

— Dans ce cas, on avisera en temps et lieu. Mais Jenny a raison, tu ne pouvais pas savoir, Frances. Pour l'amour du ciel, il paraît que je lui ai moi-même donné de l'argent sans le reconnaître. Personne ne peut te reprocher quoi que ce soit, Frances. Tu es une des personnes les plus généreuses que je connaisse. Regarde toutes les œuvres que tu finances, le nombre de comités auxquels tu sièges. Si cela peut te réconforter, pourquoi ne verserais-tu pas une contribution au centre d'accueil de Robyn? Tu peux faire un geste pour que plus personne n'ait à mourir de froid dans cette ville.

Il se tourne vers moi.

— Comment une chose pareille a-t-elle pu arriver? Comment un homme peut-il mourir de froid dans une grande ville comme celle-ci? Il y a quelque chose qui ne tourne pas rond.

— Selon le rapport du médecin légiste, monsieur Duffy avait beaucoup bu ce soir-là. Il était ivre mort et n'avait qu'une mince couverture sur lui. C'est pourquoi il est mort de froid.

— Il avait bu? s'exclame monsieur Franklin en secouant la tête. Eh bien, voilà quelque chose qui ressemble à Max. Il n'a jamais su dire non à sa fine Napoléon, pas vrai, Frances?

Je me dis que ce n'est pas tout à fait vrai. Au dire d'Aggie et du docteur Antoski, il n'avait pas bu une goutte depuis des mois. Pourquoi a-t-il choisi la nuit la plus froide de l'année pour retomber dans ses vieilles habitudes ? J'espère que ce n'est pas parce que les portes du centre lui avaient été fermées.

Madame Braithwaite essuie ses larmes et se tourne vers Tara.

— À qui faut-il s'adresser ? lui demande-t-elle. Qui peut nous aider à vérifier s'il s'agit ou non de lui ?

16

— Je ne plaisantais pas, me dit mon père. Tu as vraiment ça dans le sang.

Il lève les yeux de son journal et me sourit avec fierté.

— Et si tu veux mon avis, ils auraient dû publier une photo de toi à côté de celles de Max Templeton, ajoute-t-il.

L'affaire n'a pas fait la une, mais nous sommes le 24 décembre et l'actualité tourne au ralenti, si bien que le journal a publié un long article sur la reconstitution faciale réalisée par Tara et sur le parcours connu de Max Templeton. On y voit quatre photos de lui : les deux qu'a fournies Jenny, le portrait reconstitué par Tara, et un agrandissement de la photo de groupe prise au centre d'accueil montrant l'image grainée du visage de monsieur Duffy après des années passées dans la rue. L'auteur de l'article mentionne que James Franklin a été autrefois l'associé de Max Templeton et qu'il est aujourd'hui actionnaire majoritaire, avec madame

Braithwaite, de la société que lui et Max Templeton avaient fondée.

— Madame Braithwaite m'a téléphoné, dis-je à mon père. Elle a pu récupérer des choses entreposées chez le garde-meuble. Il y avait apparemment une boîte que Max avait reçue de sa mère : sa première paire de chaussons, une tasse en argent pour bébé et sa première dent de lait. Elle a demandé à un laboratoire privé de procéder pour elle à une analyse d'ADN, même si elle a à présent la conviction que monsieur Duffy et Max étaient une seule et même personne.

Mon père me regarde encore d'un air radieux.

— Et c'est à ma petite fille qu'elle doit tout ça.

— Je suis contente d'avoir pu l'aider. Mais c'est une histoire si triste. Pauvre monsieur Duffy. Il a eu la vie tellement dure. Il a vraiment tout perdu. Et quand je pense qu'ils se sont croisés, lui et madame Braithwaite, et qu'elle ne l'a même pas reconnu !

Je secoue la tête. Ils me font de la peine, autant l'un que l'autre.

— Les traumatismes crâniens peuvent avoir des effets sournois, dit mon père. Transformer la personnalité de quelqu'un, lui faire perdre la mémoire.

— Tu sais ce qui me désole le plus, papa ? Outre le fait qu'elle l'ait revu vingt ans plus tard sans le reconnaître ? C'est qu'il est probable qu'elle ne saura jamais ce qui lui est arrivé – comment il s'est infligé cette blessure et pourquoi il n'a jamais repris contact avec elle.

Mon père branle la tête.

— Certaines énigmes s'avèrent plus difficiles à résoudre que d'autres.

— Elle m'a dit aussi que monsieur Franklin s'en voulait terriblement de ne pas l'avoir reconnu lui non plus. Il a cru que monsieur Duffy divaguait. Il n'a jamais fait le rapprochement entre la mention du nom « Franny » et madame Braithwaite.

— En tout cas toi, tu as fait du bon travail, Robbie.

— Peut-être. Mais j'ai l'impression de n'avoir déterré qu'une partie de l'histoire de monsieur Duffy.

— Tu connais le dicton : faute de grives, on mange des merles.

Il a peut-être raison. Je consulte ma montre.

— Il faut que je file, papa, sans quoi je serai en retard. Ben m'attend.

— Encore ce Ben, hein ? fait mon père avec un air malicieux.

Je hausse les épaules, sans toutefois m'empêcher d'esquisser un sourire. Quand j'ai raconté à Ben toute l'histoire – que madame Braithwaite avait la quasi-certitude que monsieur Duffy et Max Templeton ne faisaient qu'un et qu'elle avait commandé une analyse d'ADN pour le confirmer, il m'a serrée très fort dans ses bras. « Bon sang, je m'étais vraiment trompé sur ton compte », m'a-t-il dit en finissant par me lâcher. Puis, sans crier gare, il m'a embrassée. Et je lui ai rendu son baiser. Spontanément. Sans même y penser. Plus tard, une fois dans mon lit, j'ai repensé à Nick, à ce que je ressentais quand j'étais avec lui, à la conviction que j'avais qu'il m'aimait. Mais Nick a disparu. Depuis des semaines. Il ne m'a même pas appelée. Peut-être est-ce la raison pour laquelle ce soir-là, c'est en pensant à Ben et non pas à Nick que j'ai fermé les yeux.

— On va au centre d'accueil, dis-je à présent à mon père. Des jeunes doivent venir décorer l'arbre de Noël.

Demain, avant que Ted, ma mère et moi attaquions notre repas de Noël, Ben, Billy, Morgan et moi servirons la dinde aux convives du refuge.

— Vas-tu rentrer pour souper ?

J'acquiesce.

— Rends-moi service, veux-tu ? Achète-moi de l'huile d'olive. Je n'en ai plus.

Je lui promets de ne pas oublier.

Bien des têtes se tournent vers nous quand Ben et moi faisons notre entrée au centre. Monsieur Donovan nous aperçoit depuis le fond de la salle et vient à notre rencontre en souriant. Il me serre la main et me félicite. J'ai droit au même accueil de la part de Betty. Andrew, qui semblait jusque-là plongé dans le journal, s'approche de moi.

— C'est vraiment bien, ce que tu as fait, me dit-il doucement.

— Merci, Andrew.

Betty me demande comment je me suis débrouillée pour glaner autant de renseignements sur un homme aussi secret que l'était monsieur Duffy, si bien que je lui explique comment Morgan et moi avons quadrillé le quartier et cherché des personnes susceptibles de l'avoir connu. Je lui parle de ma pancarte devant l'édifice où monsieur Duffy avait l'habitude de quêter, des passants que j'ai interrogés, de la façon dont Ben a retrouvé la trace de madame Braithwaite…

— Ce qu'il y a de plus incroyable au sujet de madame Braithwaite, répète Ben, encore étonné, c'est qu'elle lui ait donné de l'argent sans le reconnaître.

— James Franklin ne l'a pas reconnu non plus.

— Et ce type, fait Andrew en montrant le journal d'un signe de tête.

— Quel type?

Andrew pose le doigt sur le journal.

— Celui-là, dit-il en désignant la photo de monsieur Franklin.

— C'est James Franklin, Andrew. Regarde.

Je lui montre le nom imprimé en toutes lettres sur la légende au bas de la photo. J'ai peut-être la berlue, mais Andrew paraît gêné.

— Max et lui ont fréquenté la même école et sont ensuite devenus associés. Max a même parlé à James Franklin, et celui-ci ne l'a pas reconnu.

— Max? fait Andrew. Qui est Max?

— Max Templeton. Le vrai nom de monsieur Duffy.

L'itinérant était le génie de l'informatique Max Templeton, proclame le gros titre qui coiffe les photos. Je commence à deviner au moins une des raisons pour lesquelles Andrew s'est retrouvé dans la rue.

— Il lui a aussi donné quelque chose, dit Andrew. Et monsieur Duffy l'a envoyé promener. Tu te rappelles?

— Qui a donné quoi à qui ? De quoi parles-tu, Andrew ? demande Ben.

— Tu te rappelles, Robyn ? demande Andrew. Je t'ai raconté que j'avais vu un homme donner quelque chose à monsieur Duffy, et que monsieur Duffy s'était mis à crier après lui.

Je m'en souviens. Andrew m'avait parlé de cette scène le jour où Morgan et moi avions commencé à enquêter auprès des habitués du centre d'accueil.

— C'était ce type-là, insiste Andrew en pointant encore l'index sur le visage de James Franklin.

Il y a quelque chose qui cloche. Edward a vu son père donner de l'argent à monsieur Duffy et entendu celui-ci prononcer le nom « Franny ». Mais jamais il n'a dit avoir vu monsieur Duffy injurier monsieur Franklin. Celui-ci n'en a jamais fait mention non plus.

— Tu es sûr que c'était le même homme, Andrew ?

Il fait signe que oui.

— As-tu vu un autre homme avec lui ? Un homme plus jeune ?

— Non.

— Il y a quelque chose qui m'échappe, intervient Ben. Tu dis que tu as vu monsieur Franklin donner de l'argent à monsieur Duffy et celui-ci se mettre à l'injurier ?

Je repense à ce qu'Andrew nous avait raconté, à Morgan et moi.

— Monsieur Duffy posait bien un chapeau par terre quand il mendiait, n'est-ce pas ?

Andrew hoche la tête.

— Et les gens lançaient leur monnaie dans ce chapeau, hein ?

Andrew approuve.

— Mais tu nous as dit que cet homme – ce monsieur Franklin – essayait de donner autre chose à monsieur Duffy. Qu'est-ce que c'était, Andrew ?

— Il essayait de lui mettre quelque chose dans la main.

— Dans la main ? Pas dans le chapeau ?

— Dans la main.

— Tu en es sûr ?

— Je sais ce que j'ai vu.

— Et tu dis que ça s'est passé deux jours avant la mort de monsieur Duffy, c'est bien ça ?

Je me rappelle parfaitement de ce qu'il m'avait raconté.

— C'était la veille du jour où tu es venue faire du bénévolat au centre pour la première fois, me répond Andrew.

— Qu'est-ce qu'il y a, Robyn ? demande Ben. Quelque chose ne colle pas ?

— Je ne sais pas. Je dois me tromper.

Mais il y a un détail qui me tracasse. Edward a raconté qu'il avait croisé monsieur Duffy à deux reprises. Mais James Franklin a dit ne l'avoir croisé qu'une seule fois, et il ne s'est souvenu de cette rencontre qu'après qu'Edward la lui a rappelée. Il n'a jamais dit l'avoir revu. Il est possible que cette seconde rencontre lui soit sortie de la tête. Mais il aurait dû normalement avoir gardé le souvenir d'un visage comme celui de monsieur Duffy, non ? Surtout s'il avait essayé de lui donner quelque chose et que monsieur Duffy l'avait repoussé.

— Andrew, as-tu vu ce qu'il voulait lui donner ? Est-ce que c'était de l'argent ?

Andrew réfléchit intensément.

— Je n'en sais rien, finit-il par répondre. Mais ce devait être de l'argent. C'est toujours ce que donnent les gens – quand ils donnent quelque chose. Certains vont offrir un sandwich ou une tasse de café, mais ce n'était pas ce que faisait ce type-là.

— Pourquoi monsieur Duffy aurait-il refusé de l'argent ? demande Ben.

C'est une bonne question, une question que je vais ressasser tout le reste de la journée et que je rumine encore à l'heure où Ben me reconduit chez mon père. Nous montons l'escalier et je le présente à mon père, qui l'invite sur-le-champ à souper avec nous.

— À moins qu'on t'attende chez toi, ajoute-t-il. C'est la veille de Noël.

Ben me consulte du regard.

— Je peux rester, dit-il. Merci.

Nous suivons mon père dans la cuisine où il a déjà commencé à griller du poulet pour préparer ses célèbres roulés de poulet à la mode cajun. Ben propose de donner un coup de main. Mon père nous remet un couteau à chacun et nous indique d'un geste les légumes frais posés sur le plan de travail. Nous rinçons et tranchons le concombre, le céleri, les oignons verts, les poivrons et les tomates, alors que Ben et mon père bavardent de sport et d'études. Ils semblent bien s'entendre, aussi bien que Nick et mon père s'entendaient. Je sens monter une bouffée de chagrin et de colère. Mais c'est Ben qui est ici, pas Nick. Et ce n'est pas de ma faute.

— La vinaigrette à présent, fait mon père en me regardant attentivement.

— Quoi?

— Je t'avais demandé de me rapporter de l'huile d'olive. Ne me dis pas que tu as oublié, Robbie.

— Oh non!

Je le gratifie d'un regard contrit. Mon père prend l'air exaspéré – une fraction de seconde.

— J'ai failli marcher! Où est-elle?

— Dans mon sac.

Je vais la chercher. Les deux livres de poche que monsieur Duffy avait achetés à la bibliothèque sont posés sur la petite table près de la porte, là où je les avais laissés. Je ne sais même pas pourquoi je les ai gardés. Je les contemple un instant. Un petit rectangle de carton dépasse des pages du premier – la carte que monsieur Duffy utilisait comme signet, celle d'un des meilleurs hôtels de la ville. Je la retire et l'examine, les yeux écarquillés.

— Robbie, est-ce qu'on aura cette huile avant l'année prochaine? me taquine mon père depuis la cuisine.

Je regagne la cuisine à pas lents, la carte à la main.

— Ça va, Robbie? me demande mon père.

— C'est l'hôtel où est descendu James Franklin. Son fils l'a appelé là-bas quand j'étais chez madame Braithwaite. Il avait la même carte.

Mon père me regarde d'un drôle d'air.

— On a trouvé cette carte dans un des livres de monsieur Duffy. Tu t'en souviens, Ben ?

Ben hoche la tête.

— Monsieur Franklin séjourne dans cet hôtel. Edward dit avoir vu son père donner de l'argent à monsieur Duffy et entendu le sans-abri mentionner le nom « Franny » il y a deux semaines. Andrew – le jeune gars du centre d'accueil dont je t'ai parlé, papa – a vu monsieur Franklin donner quelque chose à monsieur Duffy deux jours avant la mort de celui-ci. Tu me suis ? Andrew a vu monsieur Duffy et monsieur Franklin ensemble. Il a vu monsieur Franklin essayer de donner quelque chose à monsieur Duffy après que monsieur Franklin eut déjà croisé celui-ci une fois et après que monsieur Duffy a prononcé le nom « Franny », mais juste avant la mort de monsieur Duffy. Je ne crois pas qu'il s'agissait d'argent, parce qu'il l'aurait mis dans le chapeau. Il n'a rien fait de tel. Andrew dit avoir vu monsieur Franklin essayer de glisser quelque chose dans la main de l'homme.

— Où veux-tu en venir, Robbie ?

— Je n'en suis pas sûre.

J'ai l'esprit en ébullition.

— Pourquoi monsieur Duffy avait-il en sa possession la carte de l'hôtel où séjournait monsieur Franklin ?

Je ne vois pas comment il aurait pu se la procurer, à moins que monsieur Franklin la lui ait donnée.

— Tu penses que c'est ce qu'a vu Andrew – monsieur Franklin qui remettait sa carte à monsieur Duffy? me demande Ben.

Je remue la tête.

— Mais pourquoi monsieur Franklin aurait-il donné la carte de son hôtel à un itinérant qu'il prétendait ne pas connaître et n'avoir jamais vraiment regardé? s'exclame Ben, perplexe.

Mon père a l'air songeur.

— Que sais-tu précisément de ce James Franklin? me demande-t-il.

— Pas grand-chose. Il nous a paru sympathique la première fois que nous l'avons rencontré, hein, Ben?

— La première fois? demande mon père. Tu veux dire, chez madame Braithwaite?

— Non. Je l'avais rencontré avant. Nous l'avions croisé, Ben et moi, deux jours avant les funérailles, quand nous cherchions des personnes susceptibles d'avoir donné de l'argent à monsieur Duffy et de lui avoir parlé.

Je raconte à mon père que monsieur Franklin m'avait abordée devant ses bureaux. Je lui avais parlé de l'accueil de jour et du travail bénévole que nous y faisions, Ben et moi.

— Il a versé un don au centre. Un gros montant.

— Comme ça, il savait qui tu étais et que tu faisais du bénévolat au centre, dit mon père. Et que tu enquêtais pour savoir qui était monsieur Duffy.

Il réfléchit.

— Après cette rencontre avec monsieur Franklin, as-tu remarqué quelque chose d'inhabituel ?

— Comme quoi ?

— Quelqu'un qui aurait eu l'air de s'intéresser à toi, par exemple.

Je fais non.

— Et le soir où tu as été agressée ?

C'est alors que tout s'éclaire.

— Il y avait ce type aux obsèques, dis-je. Le lendemain de notre première rencontre, Ben et moi, avec monsieur Franklin. Ce type s'est assis pas loin de moi dans l'église. Je ne l'avais jamais vu.

Je fouille dans mes souvenirs et décris à mon père l'homme à la tuque noire.

— Je l'ai revu au refuge le soir où j'ai été agressée, quand Andrew faisait le tour de la salle en montrant la bague et la photo. Je l'avais d'abord pris pour un itinérant. Mais je me suis rendu compte que c'était impossible parce qu'en sortant du centre, je l'ai vu monter dans une voiture et s'éloigner. Et si c'était ?...

Je sens mes cheveux se hérisser sur ma nuque. Puis je tente de chasser cette idée de mon esprit par un mouvement de la tête.

— Impossible, il est parti avant moi. Il n'a pas pu me suivre.

— Pas nécessairement, dit mon père. James Franklin a appris qui tu étais et ce que tu faisais, deux jours avant les funérailles. Suppose qu'il ait engagé quelqu'un pour te surveiller, peut-être pour te filer.

Je commence à sentir mon estomac se nouer.

— Admettons qu'il l'ait fait, poursuit mon père. Ce type savait que tu te déplaçais en autobus. La meilleure tactique que je connaisse pour faire croire à quelqu'un qu'il n'est pas suivi, c'est de se poster devant lui. Il est parti avant toi, mais je parie qu'il t'a surveillée quand tu attendais l'autobus et que lorsque tu as pris un taxi, il t'a suivie.

— Vous pensez que c'est lui qui a agressé Robyn? demande Ben d'un air incrédule.

— Celui qui t'a dévalisée a gardé la bague et ton argent, ce qui est logique. Ils valaient quelque chose, dit mon père. Il a jeté tout le reste. Nous avons retrouvé ton portefeuille, tes pièces d'identité et quelques bricoles. Mais nous n'avons jamais retrouvé cette photo. Peux-tu m'expliquer pourquoi un voleur à la tire garderait une vieille photo sans intérêt?

Je dévisage mon père. Je sais qu'il pense à la même chose que moi.

— Quelqu'un voulait m'empêcher de découvrir l'identité de monsieur Duffy.

— C'est possible, dit mon père.

Les pensées se bousculent dans mon cerveau.

— Tu te souviens de cette bouteille que j'avais remarquée, papa?

Mon père hoche lentement la tête.

— Quelle bouteille? demande Ben.

Je lui parle de la bouteille de cognac vide qui avait roulé dans la ruelle, tout près de l'endroit où Billy et moi avions découvert monsieur Duffy.

— C'était la même marque que ce que boit mon père.

— Fine Napoléon, précise celui-ci avec un sourire appréciateur. Un pur nectar.

— Te souviens-tu de ce que tu m'as dit, papa? Que tu ne pensais pas qu'un sans-abri ait les moyens de s'offrir un alcool pareil.

— C'est du haut de gamme, Robbie. Pourquoi? À quoi penses-tu?

— Quand j'ai dit à monsieur Franklin que Max était mort de froid après avoir trop bu, sais-tu ce qu'il m'a répondu?

Ben et mon père me dévisagent intensément.

— Il m'a dit: «Max n'a jamais su dire non à sa fine Napoléon.»

— N'oublie pas qu'il le connaissait bien, rétorque mon père. Ils avaient tous les deux fondé une entreprise. Ils avaient travaillé ensemble.

Mais je sais que mon père n'écarte aucune hypothèse.

— Des gens nous ont dit, à Morgan et moi, que monsieur Duffy avait cessé de boire. Et le médecin qu'il voyait d'habitude à la clinique sans rendez-vous m'a appris que lorsqu'il buvait, il se saoulait au mauvais vin rouge. Or, tu m'as dit que le cognac qu'il a bu cette nuit-là était cher.

— Extrêmement cher, souligne mon père.

Nous échangeons un regard.

— Il y a autre chose, papa. Monsieur Duffy avait l'habitude d'aller se réchauffer dans un restaurant appelé le Black Cat Café. Un des employés laissait monsieur Duffy se servir de temps à autre du téléphone. Il m'a dit que monsieur Duffy avait passé un coup de fil à quelqu'un deux jours avant sa mort.

— Sait-il qui il appelait ?

Je secoue la tête.

— Que se passe-t-il ? demande Ben.

— Surveille le poulet, Robbie, me dit mon père en se dirigeant vers le téléphone.

Il bavarde un moment avec un de ses vieux copains de la brigade des homicides. Une heure plus tard, Will Spivak sonne à la porte pour nous poser quelques questions, à mon père et moi.

Je passe comme d'habitude la journée de Noël avec ma mère et vais le lendemain bruncher avec mon père à La Folie – conformément à la tradition établie depuis le divorce.

Le mardi suivant, mon père se pointe chez ma mère, qui ne semble guère apprécier cette visite surprise. Elle a pris quelques jours de congé et Ted est à la maison avec nous.

— Détends-toi, Patti, lui dit mon père. Je ne resterai pas longtemps. Je veux seulement parler à Robbie.

Il me regarde par-dessus l'épaule de ma mère.

— Peux-tu m'expliquer pourquoi tu ne m'as pas appelée quand Robyn a été agressée ? lui demande ma mère.

Elle s'est mise en colère quand je lui en ai parlé.

Mon père me décoche un bref coup d'œil.

— Robbie voulait t'en parler elle-même, dit-il. C'est une grande fille.

— Elle s'est fait agresser, rétorque ma mère.

— Il ne m'est rien arrivé de grave, maman.

Je le lui ai répété un million de fois.

— J'ai seulement besoin de parler à Robbie une minute, dit mon père.

Il croise mon regard.

— Will m'a appelé, m'annonce-t-il.

— Maman, fais-le entrer. S'il te plaît.

— Qui est Will ? le questionne ma mère.

— Will Spivak. Tu dois te souvenir de lui, Patti.

Je présume qu'elle s'en rappelle parce qu'elle s'efface pour le laisser entrer.

— Tu avais raison, Robbie, me dit-il. James Franklin a bien reçu un coup de fil dans sa chambre d'hôtel peu après dix-huit heures le soir de la mort de Max Templeton. Quelques minutes plus tard, il est descendu demander au portier de lui appeler un taxi. Will a retrouvé le chauffeur et lui a montré des photos. Ce dernier se souvenait de James Franklin. Il a dit qu'il l'avait conduit à la Société des alcools la plus proche, pour ensuite le déposer devant un restaurant appelé le Black Cat Café.

— Monsieur Duffy fréquentait ce café de temps à autre, dis-je à l'intention de ma mère et de Ted.

— C'est précisément ce que le serveur a raconté à Will, ajoute mon père. Et il se trouve que monsieur

Duffy a passé un coup de fil ce soir-là. Il a appelé à l'hôtel de James Franklin un peu après dix-huit heures.

— Est-ce que le serveur a vu monsieur Franklin ?

Mon père secoue la tête.

— Mais il a raconté que monsieur Duffy surveillait la rue par la vitrine et se souvient d'avoir vu un taxi s'arrêter. Mais il y avait foule dans le café – des gens qui voulaient se réchauffer. Le serveur était trop occupé pour y prêter attention. Monsieur Duffy est parti aussitôt après.

— De quoi parlez-vous ? demande ma mère, incapable de réfréner sa curiosité.

— On dirait une histoire de meurtre dans un roman policier ! s'exclame Ted avec gaieté.

— Max Templeton et James Franklin étaient associés. La femme de Max a dit que celui-ci avait des problèmes au travail. Puis, Max est sorti un beau soir, n'a jamais redonné signe de vie et a été déclaré mort – un suicide. Mais il n'est pas mort. Il se trouve qu'il a subi un grave accident qui lui a laissé des lésions cérébrales et des cicatrices qui l'ont défiguré, et personne ne l'a revu ou n'a entendu parler de lui pendant plus de vingt ans, dit mon père. Je me demande bien quel genre de problèmes il avait au travail.

— Tu penses que cet accident n'en était pas vraiment un, papa ?

— Comme ça, j'avais raison ? s'exclame Ted, l'air tout surpris. On parle vraiment d'un meurtre ?

— C'est possible, répond mon père. Dites, c'est bien du lait de poule que j'aperçois là-bas ?

Il se dirige tout droit vers la salle à manger où la table est mise pour le brunch.

Ma mère ouvre la bouche pour protester, mais la referme aussitôt.

— Absolument, répond Ted. J'allais justement me servir. Vous m'accompagnez, Mac?

Ma mère pousse un grand soupir.

17

Ben et moi passons le dernier jour de l'année au centre d'accueil à travailler en cuisine, puis à jouer aux cartes avec quelques habitués. Je garde un œil ouvert autour de moi, car j'attends l'arrivée d'Andrew. Quand je le vois entrer, je demande aux joueurs de m'excuser et vais le rejoindre.

— Salut, Robyn !

Comme d'habitude, il esquisse un sourire qu'il couvre aussitôt de sa main.

— Vas-y ! lui dis-je. Fais-le !

— Quoi ?

— Fais-moi un grand sourire.

Il refuse.

— Voyons, Andrew. Laisse-toi aller.

Il secoue encore la tête.

— Je ne peux pas.

— Pourquoi ?

Il baisse les yeux sur le plancher.

— C'est à cause de tes dents, hein ?

Il hoche la tête sans relever les yeux.

— Allez, souris-moi. S'il te plaît.

Il relève lentement la tête et, après un instant d'hésitation, m'adresse un sourire contraint. Il me montre ses dents, rougit violemment, puis baisse encore la tête.

— Les dents, ça se répare, Andrew.

— Ça coûte de l'argent.

— Les étudiants en médecine dentaire cherchent tout le temps des patients pour apprendre leur métier. Les traitements ne sont pas chers. Et il y en a quelques-uns qui traitent gratuitement les personnes qui n'ont pas les moyens de payer. Je me suis renseignée et j'ai trouvé quelqu'un qui pourra t'aider. Je peux prendre rendez-vous pour toi, si tu veux.

Il relève la tête et m'adresse cette fois-ci un large sourire spontané. Sa main se lève automatiquement en direction de sa bouche, mais je l'attrape au vol pour la retenir.

— Merci, Robyn.

— Bonne année, Andrew.

Quand il aura fait soigner ses dents et qu'il aura pris un peu d'assurance, on pourra passer à l'autre étape – l'apprentissage de la lecture.

À cinq heures de l'après-midi, Ben et moi nous rendons chez mon père pour donner un coup de main aux préparatifs de son réveillon du Nouvel An. Morgan et Billy ont prévu venir, tout comme plusieurs loca-taires de mon père, ses associés et pratiquement toutes ses connaissances.

L'interphone se met à sonner alors que mon père et Ben s'affairent à accrocher des banderoles et une bannière portant l'inscription *Bonne et heureuse année*.

— Irais-tu répondre, Robbie ?

Je fais monter madame Braithwaite.

— Veuillez m'excuser, dit-elle en voyant les préparatifs de la fête. Je ne veux pas vous déranger. Je passais seulement t'annoncer la nouvelle en personne...

Mon père descend de son escabeau et vient nous rejoindre. Il se présente.

— Nous nous sommes parlé au téléphone, m'explique-t-il en se tournant vers moi. Will a donné mon numéro de téléphone à madame Braithwaite. Elle m'a appelé pour me demander si elle pouvait te voir.

Du geste, il l'invite à entrer.

— Puis-je vous offrir quelque chose à boire, madame Braithwaite ?

— Appelez-moi Frances. Monsieur Hunter...

— Mac, la corrige mon père.

Madame Braithwaite sourit, sans toutefois pouvoir chasser la tristesse de ses yeux.

— Mac, je suis simplement venue vous remercier, vous et votre fille. James...

Elle hésite, prend une profonde inspiration.

— La police a arrêté James pour l'assassinat de Max.

J'avais donc vu juste. La mort de monsieur Duffy n'était pas accidentelle. J'observe discrètement mon père, sans pouvoir deviner ses pensées.

— Le procureur a proposé de réduire le chef d'accusation de meurtre au premier degré à meurtre au second degré et de recommander l'admissibilité à une libération conditionnelle au bout de dix ans à condition qu'il passe aux aveux, ajoute madame Braithwaite.

— Dix ans ?

Je ne trouve pas la peine sévère après ce qu'il a fait.

— A-t-il accepté de plaider coupable ?

Madame Braithwaite répond de manière affirmative.

— James a soixante-trois ans. S'il était reconnu coupable de meurtre au premier degré, il passerait le reste de ses jours derrière les barreaux. De cette façon, il aura la possibilité de sortir avant de mourir.

Mon père opine, mais garde le silence.

— James a raconté aux policiers qu'il pensait bien avoir tué Max il y a vingt-trois ans, ajoute madame Braithwaite.

— Mais pourquoi ? demande Ben. Qu'avait-il contre monsieur Duffy – je veux dire contre monsieur Templeton ?

— Max et James étaient associés. Une boîte d'informatique. Ils faisaient de bonnes affaires et gagnaient beaucoup d'argent. Puis, Max a mis au point un nouveau programme qui leur aurait rapporté encore plus, beaucoup plus. Mais ce n'était pas ça qui l'intéressait. Je me souviens de l'avoir entendu me dire que si l'argent avait été sa seule motivation, il aurait pris sa retraite depuis des années. Il voulait faire en sorte que tous ceux qui voulaient utiliser son programme puissent y avoir accès.

— Et monsieur Franklin n'était pas d'accord, dis-je.

— Non. Il a tenté de raisonner Max. Mais celui-ci n'allait pas très bien à l'époque. Il voyait un psychiatre et buvait beaucoup. Il a menacé James de rompre leur association en emportant avec lui son nouveau programme.

— Et c'est pour ça que monsieur Franklin l'a assassiné? demande Ben.

— Il ne supportait pas l'idée que Max le prive d'une telle source de profit. Le dernier soir où j'ai vu Max, nous nous sommes violemment disputés. Max m'a dit qu'il partait au bureau. Ils avaient installé leurs locaux à proximité du port, parce que le loyer était bas. Un quartier d'entrepôts. James l'attendait là-bas. Il a frappé Max avec un tuyau de métal, puis lui a pris tous ses papiers et lui a ôté quelques vêtements.

— Il a fait preuve de négligence, intervient mon père. Il a oublié la bague et le médaillon.

— Il a entendu quelqu'un approcher et a pris panique. Il n'avait pas le temps. Il a hissé le corps de Max dans un camion garé derrière un des hangars et qui devait transporter sa cargaison vers le sud, de l'autre côté de la frontière. Il a caché le corps de Max sous de vieilles couvertures, pour qu'on risque moins de le repérer, dans l'éventualité d'une fouille à la frontière. La sécurité était moins stricte, à l'époque. Et ensuite, il a jeté les affaires de Max dans le port.

— Pour rendre crédible la thèse du suicide, dit mon père.

— Mais où donc monsieur Duf... monsieur Templeton a-t-il pu atterrir? demande Ben.

— Personne ne le sait, répond madame Braithwaite. Je vais engager quelqu'un pour faire enquête. Tout ce que je sais pour l'instant, c'est que Max a subi un très grave traumatisme crânien. Il a pu souffrir de lésions cérébrales et de pertes de mémoire.

Elle secoue la tête.

— Si seulement j'avais pu savoir. Si seulement il avait pu trouver un moyen d'entrer en contact avec moi.

— Monsieur Franklin a dû avoir tout un choc en tombant sur Max après tout ce temps, dis-je.

— C'est sûr, répond madame Braithwaite. Il croyait Max mort depuis des lustres. Il ne l'a même pas reconnu, d'ailleurs. C'est Max qui lui a le premier adressé la parole. Il a dit à James qu'il m'avait vue – qu'il avait vu Franny. Et malgré cela, James ne le reconnaissait toujours pas. Pour lui, Max n'était qu'un mendiant crasseux qui marmonnait quelque chose à propos d'une Franny. C'est alors que James a vu le médaillon. Il a voulu le lui prendre.

— Pas surprenant que Max l'ait confié à Aisha, dis-je. Il lui a dit qu'il avait peur qu'on lui vole.

— James a raconté qu'il était complètement éberlué. Il l'a examiné de plus près pour vérifier si cet homme pouvait bien être Max. Ils avaient fait toutes leurs études ensemble, vous savez ? Max avait même gardé sa vieille chevalière du collège. Et sur ces entrefaites, Edward est arrivé et James l'a éloigné en hâte avant que Max puisse dire autre chose.

— Mais Edward l'a entendu prononcer votre nom.

— Mais ça n'avait aucune signification pour lui. Il m'a toujours connue sous le nom de Frances. Et il n'aurait jamais pu reconnaître Max, ajoute madame Braithwaite d'une voix brisée.

— Voulez-vous un verre d'eau? propose gentiment mon père.

Elle remue la tête.

— Non, mais merci quand même.

— Pourquoi monsieur Franklin ne s'est-il pas contenté d'éviter tout simplement monsieur Templeton? demande Ben. Pourquoi l'a-t-il assassiné?

— Il avait peur, répond madame Braithwaite. Max avait prononcé mon nom. Il avait le médaillon. Il avait dit m'avoir vue. Il a parlé de vouloir rentrer chez lui.

— Il a dit la même chose à Aisha. Il lui a demandé si elle accepterait de le ramener à la maison. Elle n'a pas compris ce qu'il voulait dire. Mais il parlait peut-être de vous. Il se demandait peut-être s'il pourrait un jour revenir vers vous après toutes ces années et après tout ce qu'il avait vécu.

Les yeux de mon interlocutrice s'embuent de larmes.

— James avait également peur qu'on découvre l'identité de Max et le crime que lui-même avait commis des années plus tôt. Alors il s'est mis à le surveiller.

— Et puis il l'a tué, conclut Ben.

Madame Braithwaite confirme.

— James a tenté de se rapprocher de Max afin d'évaluer ce dont il pouvait se souvenir.

— Il lui a donné la carte de l'hôtel où il séjournait. A-t-il expliqué pourquoi?

— Toujours pour la même raison. Si Max cherchait à entrer en contact avec lui, cela signifiait qu'il se souvenait du passé, qu'il voulait vraiment rentrer chez lui. Comme Max ne l'appelait pas, James s'est mis à penser que tout irait bien.

— Sauf que Max a fini par l'appeler. Il lui a téléphoné le soir où il est mort.

Les larmes lui montent encore aux yeux.

— Il avait froid. Il cherchait un endroit pour passer la nuit.

Rien de plus normal. C'était la nuit la plus froide de l'hiver.

— Alors il a appelé James. Et celui-ci a sauté sur l'occasion. Il a donné rendez-vous à Max. En chemin, il a acheté une bouteille de son alcool préféré.

— Du cognac. Fine Napoléon.

Madame Braithwaite acquiesce.

— Il a raconté à Max que son hôtel n'était qu'à quelques minutes de marche et qu'il avait apporté de quoi se réchauffer en chemin. Il a fait boire Max jusqu'à ce que celui-ci tombe sans connaissance. Ça n'a pas dû prendre beaucoup de temps, Max n'était pas en grande forme physique. James l'a alors laissé dans une entrée d'édifice et l'a surveillé un moment depuis le trottoir d'en face, pour s'assurer qu'il ne bougeait plus.

Elle essuie ses larmes.

— Il est aussi responsable de ce qui t'est arrivé, Robyn. Quand il a appris que tu enquêtais sur Max, il t'a fait filer par quelqu'un.

Par l'homme à la tuque noire.

— Quand il a su que tu avais cette photo en ta possession, il a eu peur d'être découvert et qu'une personne – moi en l'occurrence – la reconnaisse. Alors il a payé quelqu'un pour te la subtiliser. Je suis navrée. Mais il a révélé le nom de cet homme à la police. S'ils lui mettent le grappin dessus, il sera arrêté pour vol avec agression.

Je ne sais plus quoi dire.

— Eh bien, je sais enfin ce qui est arrivé à ce pauvre Max, conclut madame Braithwaite. Et je le sais parce que quelqu'un – toi, Robyn – a suffisamment pris à cœur le sort d'un des laissés-pour-compte de notre société pour vouloir lui redonner un visage humain. Je t'en serai toujours reconnaissante.

— C'était une idée de Ben, lui dis-je.

— Mais c'est Robyn qui a fait tout le travail, déclare Ben en glissant son bras autour de mes épaules.

Je vois mon père hausser un sourcil.

— Le crédit vous revient à tous les deux, dit-il. Êtes-vous bien sûre de ne pas être tentée par mon lait de poule, Frances ?

— Jenny et Edward m'attendent. Pauvre Edward, ce qu'a fait son père l'a vraiment ébranlé. Mais Jenny se tient à ses côtés. Et il va reprendre les rênes de la société.

Une fois madame Braithwaite partie, nous mettons la dernière main aux préparatifs. Bien vite, les premiers invités arrivent. Mon père étant mon père, il nous met du vieux rock et du Motown à la pelle, et s'arrange pour faire danser tout le monde.

À l'approche de minuit, je vois Ben jeter un coup d'œil autour de lui. Mon père a baissé le volume de la musique et chacun commence à se préparer pour le compte à rebours. Morgan et Billy oscillent au rythme de la musique d'un air rêveur, les yeux dans les yeux. J'aperçois Vern et son amie Henry (diminutif d'Henrietta) dans les bras l'un de l'autre.

— C'est toute une fête, déclare Ben.

Il balaie l'appartement du regard, cherchant, il me semble, à repérer l'endroit où se trouve mon père. Celui-ci est au fond du séjour en compagnie de deux copains de la police. Ben m'entraîne aussitôt dans la cuisine, à l'abri des regards, puis il m'attire vers lui pour m'embrasser. Les bruits de la fête s'évanouissent. Je n'entends plus que mon cœur qui bat dans ma poitrine. Je ne sens plus que la chaleur des bras de Ben qui m'enlacent. Puis j'entends la voix tonitruante de mon père.

— Regardez qui arrive enfin ! Tara ! Entre, entre !

Quelques instants plus tard, elle fait irruption dans la cuisine. Ben et moi nous séparons d'un bond, comme si une mouche nous avait piqués. Tara glousse.

— Désolée de vous déranger, dit-elle. S'il y avait eu une porte, j'aurais frappé. Je cherchais simplement quelque chose à boire pour trinquer à la nouvelle année.

Je lui présente Ben, et elle lève discrètement le pouce à mon intention en signe d'appréciation.

— Oh, à propos, Robyn, as-tu trouvé ton colis ? me demande-t-elle.

— Mon colis ?

— On a livré aujourd'hui un paquet adressé à ton nom. J'ai dû signer un accusé de réception.

Elle s'interrompt pour réfléchir une seconde.

— Je l'avais posé... sur le dessus du réfrigérateur, dit-elle en pivotant sur elle-même. Et le voilà !

Elle tend le bras pour l'attraper et me le glisse dans les mains.

C'est une petite boîte enveloppée dans du papier brun. Mon nom et l'adresse de mon père y sont soigneusement écrits, mais il n'y a pas d'adresse de retour.

— Ouvre-le, me dit Ben.

Je déchire le papier et ouvre le couvercle de la boîte. Dans l'écrin est niché un petit pendentif en or, deux cœurs entrelacés.

— Hé ! s'exclame Ben. Ne me dis pas que tu as un admirateur secret !

Je me mets à rire.

— Comme si tu ne savais pas d'où ça vient !

— Je l'ignore, répond Ben. Ça ne vient pas de moi.

Je m'esclaffe encore.

— Parole, Robyn. Ce n'est pas moi.

Une étrange émotion m'envahit.

Je retourne le pendentif. Une inscription est gravée à l'endos : *À R. H. pour toujours. N. D.*

Nick.

— Alors ? me demande Ben en souriant. De qui ça vient ? Ai-je une bonne raison d'être jaloux ?

Je remets le bijou dans l'écrin et ferme le couvercle.

— Non, Ben. Tu n'as aucune raison de l'être.

Suivez-nous

Achevé d'imprimer en septembre 2012
sur les presses de l'imprimerie Lebonfon
Val-d'Or, Québec